中華國學經典百部

精華本

论语

姜波 译注

中国书店

图书在版编目（CIP）数据

论语 / 姜波译注 .—北京：中国书店，2023.10
（中华国学经典百部：精华本）
ISBN 978-7-5149-2963-8

Ⅰ . ①论… Ⅱ . ①姜… Ⅲ . ①儒家②《论语》—译文 Ⅳ . ① B222.24

中国版本图书馆 CIP 数据核字（2022）第 075444 号

论语
姜波 译注
责任编辑：赵文杰

出版发行：中国书店
地　　址：北京市西城区琉璃厂东街 115 号
邮　　编：100050
电　　话：（010）63171753（总编室）
　　　　　（010）63017857（发行部）
印　　刷：三河市嘉科万达彩色印刷有限公司
开　　本：787mm × 1092mm　1/32
版　　次：2023 年 10 月第 1 版第 1 次印刷
字　　数：129 千
印　　张：6（全 300）
书　　号：ISBN 978-7-5149-2963-8
定　　价：1490.00 元（全 50 册）

前言

《论语》是产生于我国春秋时期的一部语录体文献，它是儒家最重要的思想著作，记录了儒家圣人孔子及其弟子的言行。这部巨著的编纂者是孔子的弟子以及再传弟子。《论语》全书二十篇，共约五百章。整体而言，《论语》是大部分记言，小部分记事，只有极少数篇章称得上是较为完整的文章。它作为孔子及其门人的言行集，涉猎极为广泛，包括哲学、道德、政治、教育、时事等我国春秋时期社会政治、经济、文化等方方面面，对中华民族整体民族心理素质及道德行为产生了重大影响。南宋时期，著名理学家朱熹将《论语》与《孟子》《大学》《中庸》合称为“四书”。可以说，新文化运动之前，在中华民族两千多年的历史进程中，《论语》一直是中国人的初学必读之书目。

儒家所遵从的孔子思想核心便是“仁”“义”“礼”“智”“信”，而这些思想在《论语》中均有不同程度的彰显与体现。仅就这个角度而言，《论语》是研究孔子生平及儒家思想的重要依据。虽然孔子“克己复礼”的思想看起来有些保守，其哲学思想也有些唯心，但社会的整体发展以及各种现实的原因对孔子并非没有影响。《论语》还记下了孔子思想中许多有着积极意义的东西，例如举贤才、讲究节约、仁者爱人、使民以时、有教无类、因材施教、不信鬼神等，尤其是他的教育经验、学习经验、写作经验、生活经验和诗论，更值得我们重视。《论语》中许多十分精辟的格言至今令人印象深刻，极具教育意义，正是对这些可贵经验的概括总结使得这部经典至今熠熠生辉。

《论语》在文学史上颇有影响。作为一部优秀的语录体文献，《论语》言简意赅、含蓄隽永。书中篇与篇、章与章之间虽大多没有实质上的内在联系，篇名也无实在意义，用的均是每篇开头的几个字，但其所记孔子循循善诱的教诲之言，或简单应答，点到即止；或启发论辩，侃侃而谈，富于变化，娓娓动人。它的文学性尤其体现在语言富于形象，往往用极简练的言辞写出人物的神情语态和性格特征。

《论语》作为中华民族的源头性经典之一，不仅是古代圣哲修身明德、体道悟道后的智慧结晶，而且是道德与文化的重要载体。

目录

学而篇第一

《论语》中各篇一般都以第一章的前二三个字作为该篇的篇名。《学而》是《论语》第一篇的篇名;《学而》一篇包括十六章，涉及很多内容。

【原文】

子①曰:“学而时习②之，不亦说③乎？有朋④自远方来，不亦乐乎？人不知而不愠⑤，不亦君子⑥乎？”

【注释】

①子：中国古代对于有地位、有学问的男子的尊称，有时也泛称男子。《论语》一书中“子曰”的“子”，均指孔子。②时：意为在一定的时候或者在适当的时候。习：指演习礼、乐，复习诗、书。③说（yuè）：同“悦”，愉快、高兴。④朋：指志同道合的人。⑤愠（yùn）：恼怒，怨恨。⑥君子：此处指孔子理想中具有高尚人格的人。

【译文】

孔子说:“学了并且在适当的时候温习，不也很高兴吗？有志同道合的人从远方来，不也很快乐吗？人家不了解我，我不怨恨，不也是君子吗？”

【原文】

有子①曰:“其为人也孝弟②，而好犯上③者，鲜④矣！不好犯上，而好作乱者，未之有也⑤。君子务本⑥，本立而道⑦生。孝弟也者，其为仁之本⑧与！”

【注释】

①有子：孔子的弟子，姓有，名若。②弟：同“悌（tì）”，即弟弟对待

兄长的正确态度。③犯：冒犯。上：指在上位的人。④鲜（xiǎn）：少的意思。⑤未之有也：倒装句，应为“未有之也”。⑥务：专心、致力于。本：根本。⑦道：指孔子提倡的仁道。⑧为仁之本：“仁”是孔子哲学思想的最高范畴，也是伦理道德的准则。

【译文】

有子说：“为人孝顺父母，尊敬兄长，而喜欢触犯上级，这样的人很少。不喜欢触犯上级，却喜好造反，这样的人是没有的。君子致力于根本的事务，根本建立了，仁道就有了。孝顺父母、尊敬兄长，就是仁的根本啊！”

【原文】

子曰：“巧言令色①，鲜②矣仁。”

【注释】

①巧言令色：装出和颜悦色的样子。②鲜：少。

【译文】

孔子说：“花言巧语，装作和颜悦色，这种人，仁心很少。”

【原文】

曾子①曰：“吾日三省②吾身：为人谋而不忠③乎？与朋友交而不信④乎？传不习⑤乎？”

【注释】

①曾子：姓曾，名参，字子舆，生于公元前505年，鲁国人。②省（xǐng）：检查，察看。③忠：指对人应当尽心竭力。④信：诚实。⑤习：指温习、演练等。

【译文】

曾子说：“我每天数次反省自己：替别人办事是不是尽心尽力？同朋友交往是不是诚实可信？老师传授给我的学业是不是已温习？”

【原文】

子曰："道[1]千乘之国[2]，敬事[3]而信，节用而爱人，使民以时[4]。"

【注释】

①道：治理。②千乘之国：指拥有一千辆战车的国家，即诸侯国。乘（shèng），古代用四匹马拉着的兵车。③敬事：对所从事的事务兢兢业业。④使民以时：要役使百姓按照农时耕作与收获。

【译文】

孔子说："治理拥有千辆兵车的国家，要严谨认真地工作，恪守信用，节约财政开支，爱护百姓，役使百姓按照农时耕作与收获。"

【原文】

子曰："弟子，入[1]则孝，出[2]则悌，谨[3]而信，泛[4]爱众，而亲仁[5]。行有余力[6]，则以学文[7]。"

【注释】

①入：指在家。②出：指外出拜师学习。③谨：寡言少语。④泛：广泛。⑤仁：仁德之人。⑥行有余力：指有闲暇时间。⑦文：主要指诗、书、礼、乐等文化知识。

【译文】

孔子说："年轻人，在父母跟前，就孝顺父母；出门在外，就尊敬兄长；寡言少语，诚实可信，广泛地去爱众人，亲近仁德之人。这样事必躬亲后，还有闲暇时间，再去学习文化知识。"

【原文】

子夏[1]曰："贤贤[2]易[3]色；事父母，能竭其力；事君，能致其身[4]；与朋友交，言而有信。虽曰未学，吾必谓之学矣。"

【注释】

①子夏：姓卜，名商，字子夏。②贤贤：看重贤德。③易：轻视。④致其身：把生命奉献给君主。

【译文】

子夏说："看重贤德，而不重女色；侍奉父母，能够竭尽全力；服侍君主，能够奉献生命；同朋友交往，诚实守信。这样的人，尽管他说没有学习过，我一定说他已经学习过了。"

【原文】

子曰："君子不重①则不威；学则不固②。主忠信③。无④友不如己⑤者。过⑥，则勿惮⑦改。"

【注释】

①重：庄重，自持。②学则不固：意思是学习了就不会顽固不化。③主忠信：以忠信为主。④无：通"毋"，不要之意。⑤不如己：一般解释为不如自己。⑥过：过错，过失。⑦惮（dàn）：害怕，畏惧。

【译文】

孔子说："君子不庄重就没有威严；学习了就不会顽固不化。要以忠和信为主。不要同不如自己的人交朋友。有了过错不要怕改正。"

【原文】

曾子曰："慎终①，追远②，民德归厚矣！"

【注释】

①终：这里指父母去世。②远：祖先。

【译文】

曾子说："谨慎地对待父母的去世，追念久远的祖先，自然会引导百姓忠厚老实。"

【原文】

子禽①问于子贡②曰："夫子③至于是邦④也，必闻其政，求之与？抑与之与？”子贡曰：“夫子温、良、恭、俭、让⑤以得之。夫子之求之也，其诸异乎人之求之与！”

【注释】

①子禽：姓陈，名亢，字子禽。②子贡：姓端木，名赐，字子贡，卫国人，比孔子小三十一岁，是孔子的学生。子贡以善辩著名。③夫子：这是古代的一种敬称，沿袭以称呼老师。④邦：指当时割据的诸侯国家。⑤温、良、恭、俭、让：温和、善良、恭敬、俭朴、谦让。

【译文】

子禽问子贡：“老师到了一个国家，总是听得到那个国家的政事，这是他自己求得的呢？还是人家主动告诉他的呢？”子贡说：“老师温和、善良、恭敬、俭朴、谦让，所以才得到这样的资格。他求得的方法与别人不同啊！”

【原文】

子曰：“父在，观其①志；父没，观其行②；三年③无改于父之道④，可谓孝矣。”

【注释】

①其：他，指儿子。②行：指行为举止等。③三年：此为约数，指多年，长期。④道：正道，指父亲的教导中合理的部分。

【译文】

孔子说：“他父亲活着的时候，要观察他的志向；他父亲死后，要考查他的行为；若是他对自己父亲的正道长期坚持而不加改变，这样的人可说是尽孝了。”

【原文】

有子曰：“礼①之用，和②为贵。先王之道，斯③为美，小大由之。有所不行，知和而和，不以礼节之，亦不可行也。”

【注释】

①礼：春秋时代“礼”泛指奴隶社会的典章制度和道德规范。

②和：和谐，协调。③斯：这，此。

【译文】

有子说："礼的应用，以和谐为贵。过去君主治国，可贵的地方就在这里，不论大事小事都按照这个原则处理。遇到行不通的时候，只是为了和谐而和谐，不以礼来节制，也是行不通的。"

【原文】

有子曰："信近①于义②，言可复③也。恭近于礼，远④耻辱也。因⑤不失其亲，亦可宗⑥也。"

【注释】

①近：接近，符合。②义：儒家的伦理范畴，是指思想与行为符合相应的标准。③复：实践。④远：使动用法，使之远离之意。⑤因：依靠，凭借。⑥宗：主，可靠。

【译文】

有子说："讲信用符合于义，就能实行。恭敬符合于礼，就能远离耻辱。所依靠的都是关系深的人，也就可靠了。"

【原文】

子曰："君子食无求饱，居无求安，敏于事而慎于言，就①有道②而正③焉，可谓好学也已。"

【注释】

①就：靠近，看齐。②有道：指有道德的人。③正：匡正，端正。

【译文】

孔子说："君子吃饭不要求饱足，居住不要求舒适，做事勤劳敏捷，说话小心谨慎，请教有道德的人以端正自己，这样可以说是好学了。"

【原文】

子贡曰："贫而无谄①，富而无骄，何如②？" 子曰：

“可也。未若贫而乐③，富而好礼者也。”

子贡曰：“《诗》云：‘如切如磋，如琢如磨④’，其斯之谓与？”子曰：“赐⑤也，始可与言《诗》已矣！告诸⑥往⑦而知来⑧者。”

【注释】

①谄：巴结，奉承。②何如：怎么样。③贫而乐：即“贫而乐道”。④如切如磋，如琢如磨：精益求精之意。⑤赐：子贡之名，孔子对学生都称其名。⑥诸：之。⑦往：过去的事情。⑧来：未来的事情。

【译文】

子贡说：“贫穷而能不谄媚，有钱而能不骄傲，怎么样？”孔子说：“可以了。但还不如虽贫穷却乐于道，有钱而又好礼的人。”

子贡说：“《诗经》上说：‘要像对待骨、角、象牙、玉石一样，切磋它，琢磨它。’讲的就是这个意思吧？”孔子说：“赐呀，现在可以和你讨论《诗经》了，告诉你一件事，就能联系到其他事上。”

【原文】

子曰：“不患①人之不己知，患不知人也。”

【注释】

①患：忧虑。

【译文】

孔子说：“不担心别人不了解自己，只担心自己不了解别人。”

为政篇第二

《为政》包括二十四章，内容涉及孔子“为政以德”

的思想、如何谋求官职、从政为官的基本原则、学习与思考的关系、孔子本人学习和修养的过程，以及对孝、悌等道德范畴的进一步阐述。

【原文】

子曰："为政以德①，譬如北辰②，居其所③而众星共④之。"

【注释】

①为政以德：以道德进行统治。②北辰：北极星。③所：处所，位置。④共：通"拱"，环绕。

【译文】

孔子说："以道德教化来治理政事，就像耀眼的北极星，居于一定的位置，群星都环绕着它。"

【原文】

子曰："《诗》三百①，一言以蔽②之，曰'思③无邪④'。"

【注释】

①《诗》：指《诗经》。三百：《诗经》留存下来的有三百零五篇，这里以整数代指。②蔽：概括。③思：思想。④无邪：直。

【译文】

孔子说："《诗经》有三百篇，一句话概括，就是'思想纯正无邪'。"

【原文】

子曰："道①之以政，齐②之以刑，民免③而无耻④；道之以德，齐之以礼，有耻且格⑤。"

【注释】

①道：通"导"，引导，治理。②齐：整齐，约束。③免：避免，躲避。④耻：羞耻之心。⑤格：一为"至"，二为"正"。

【译文】

孔子说："用法制禁令引导百姓，用刑法律令约束他们，百姓只求避免犯罪受惩，却失去羞耻之心；用道德教化引导百姓，用礼制仪式约束百姓，这样百姓不仅有羞耻心，而且也懂得守规矩。”

【原文】

子曰：“吾十有①五而志于学，三十而立②，四十而不惑③，五十而知天命④，六十而耳顺⑤，七十而从⑥心所欲，不逾⑦矩⑧。”

【注释】

①有：通“又”。②立：站得住，指立身处世。③不惑：掌握了知识，不被外界事物所迷惑。④天命：指不受人力所支配的事情。⑤耳顺：指对那些于己不利的意见也能正确对待。⑥从：遵从。⑦逾：越过。⑧矩：规矩。

【译文】

孔子说：“我十五岁开始立志于学习，到三十岁能自立于世，四十岁能不被外界事物所迷惑，五十岁明白什么是天命，六十岁能客观对待各种不利的意见，七十岁能想做什么就做什么，而不越过规矩。”

【原文】

孟懿子①问孝。子曰：“无违②。”

樊迟③御④，子告之曰：“孟孙⑤问孝于我，我对曰，‘无违’。”樊迟曰：“何谓也？”子曰：“生，事之以礼；死，葬之以礼，祭之以礼。”

【注释】

①孟懿子：鲁国的大夫，姓仲孙，名何忌，“懿”是谥号。其父临终前要他向孔子学礼。②无违：不要违背礼节。③樊迟：姓樊，名须，字子迟，孔子的弟子。④御：驾驭马车。⑤孟孙：指孟懿子。

【译文】

孟懿子问孔子什么是孝顺。孔子说："就是不要违背礼节。"

后来樊迟给孔子驾车，孔子告诉他说："孟孙问我什么是孝顺，我回答他说不要违背礼节。"樊迟问："这是什么意思呢？"孔子说："父母活着的时候，依照礼节孝顺他们；父母去世后，按照礼节埋葬他们，祭祀他们。"

【原文】

孟武伯①问孝。子曰："父母唯其②疾③之忧。"

【注释】

①孟武伯：孟懿子的儿子，名彘，"武"是他的谥号。②其：代词，指儿女。③疾：病。

【译文】

孟武伯向孔子请教孝道。孔子说："做父母的只是为儿女的疾病发愁。"

【原文】

子游①问孝。子曰："今之孝者，是谓能养。至于犬马，皆能有养；不敬，何以别乎？"

【注释】

①子游：姓言，名偃，字子游，吴人，比孔子小四十五岁，是孔子的学生。

【译文】

子游问孔子什么是孝道。孔子说："如今认为孝顺父母，只要能赡养父母就够了。就算是犬马都能够得到照料；如果不真心尊敬父母，那么赡养父母与饲养犬马又有什么不同呢？"

【原文】

子夏问孝。子曰："色①难②。有事，弟子服③其劳；有酒食，先生④馔⑤，曾是以为孝乎？"

【注释】

①色：脸色。②难：不容易。③服：从事，担负。④先生：指长者或父母。⑤馔（zhuàn）：饮食，吃喝。

【译文】

子夏问什么是孝道。孔子说："儿女要孝敬父母，最难做到的就是对父母和颜悦色。仅仅是有了事情，儿女帮助父母做；有酒饭，让父母吃，这样就是尽孝了吗？"

【原文】

子曰："吾与回①言，终日不违②，如愚。退而省其私③，亦足以发，回也不愚。"

【注释】

①回：姓颜，名回，字子渊，孔子的得意门生之一。②不违：不提相反的意见和问题。③退而省其私：考查颜回私下里与其他学生讨论学问的言行。

【译文】

孔子说："我每天给颜回讲学授课，他从来不会提出反对意见或疑问，那样子简直愚钝极了。但下课后，我仔细考查他的言行，发现他能践行我讲授的内容，可见他并不是真的愚钝。"

【原文】

子曰："视其所以①，观其所由②，察其所安③。人焉廋④哉？人焉廋哉？"

【注释】

①所以：所做的事情。②所由：所走过的道路。③所安：所安的心境。④廋：隐藏，藏匿。

【译文】

孔子说："如果想要了解一个人，应该仔细查看他言行的动机，认真观察他所走的道路，仔细考量使他安心的事物。这样一来，他还能如何隐藏自己？他还能如何隐藏自己？”

【原文】

子曰：“温故①而知新②，可以为师矣。”

【注释】

①故：旧的，已经过去的。②新：指新的体会、发现。

【译文】

孔子说：“如果在温习旧知识的时候，能有新体会、新发现，那就可以当老师了。”

【原文】

子曰：“君子不器①。”

【注释】

①器：器具。

【译文】

孔子说：“君子不能像器具那样，仅局限于某一方面的用途。”

【原文】

子贡问君子。子曰：“先行其言，而后从之。”

【译文】

子贡问孔子什么是君子。孔子说：“君子会先践行自己想说的言论，等真的做到了，才把它说出来。”

【原文】

子曰：“君子周①而不比②，小人③比而不周。”

【注释】

①周：合群。②比：指勾结。③小人：没有道德修养的人。

【译文】

孔子说：“君子能够团结他人而不与人勾结，小人相互勾结却并不团结。”

【原文】

子曰：“学而不思则罔①，思而不学则殆②。”

【注释】

①罔：糊涂。②殆：疑惑。

【译文】

孔子说：“只是读书学习却不思考任何问题，就会越学越糊涂，自然没有收获；只是空想却不读书学习，就会陷入困境，自然不能进步。”

【原文】

子曰：“攻①乎异端②，斯③害也已④。”

【注释】

①攻：攻击。②异端：不正确的言论。③斯：代词，指代前文所说的不正确的言论。④也已：这里用作语气词。

【译文】

孔子说：“批判那些不正确的言论，因为它们是祸害啊。”

【原文】

子曰：“由①，诲女②知之乎？知之为知之，不知为不知，是知也。”

【注释】

①由：姓仲，名由，字子路，孔子的学生，长期追随孔子。②女：通“汝”。

【译文】

孔子说：“由，我教给你的东西，你都明白了吗？知道就是知道，不知道就是不知道，这就是智慧啊！”

【原文】

子张①学干②禄③，子曰：“多闻阙④疑⑤，慎言其余，则寡[6]尤[7]；多见阙殆，慎行其余，则寡悔。言寡尤，行寡悔，禄在其中矣。”

【注释】

①子张：姓颛孙，名师，字子张。生于公元前503年，比孔子小四十八岁，是孔子的学生。②干：求取。③禄：即古代官吏的俸禄。④阙：缺。⑤疑：怀疑。⑥寡：少。⑦尤：过错。

【译文】

子张向孔子学习求取官职的办法。孔子说：“从政时要多听，有怀疑的地方先加以保留，剩下有把握的，也要非常谨慎地说，这样做就能少犯错误；要多看，有怀疑的地方先放在一旁不做，剩下有把握的，要谨慎地做，这样就能少有悔恨。说话少有过失，做事少悔恨，官职俸禄就在这里面了。”

【原文】

哀公[1]问曰：“何为则民服？”孔子对曰[2]：“举[3]直[4]错[5]诸枉[6]，则民服；举枉错诸直，则民不服。”

【注释】

①哀公：姓姬，名蒋，鲁国国君，“哀”是其谥号。②对曰：《论语》中记载对国君及在上位者问话的回答都用“对曰”，以示尊敬。③举：选拔。④直：正直公平。⑤错：通“措”，放置。⑥枉：不正直。

【译文】

鲁哀公问孔子：“如何才能让百姓服从？”孔子回答说：“提拔正直无私的人，使之位居不正直者之上，老百姓自然服从统治；提拔邪恶不正直的人，使之位居正直者之上，老百姓自然不会服从。”

【原文】

季康子[1]问：“使民敬、忠以[2]劝[3]，如之何？”子曰：“临[4]之以庄则敬，孝慈则忠，举善而教不能则劝。”

【注释】

①季康子：姓季孙，名肥，鲁哀公时任正卿，是当时政治上最有权势的人，“康”是他的谥号。②以：连接词，与“而”同。③劝：勤勉，勤奋。④临：对待。

【译文】

季康子问道：“怎样才能使老百姓对当政者尊敬、忠诚呢？”孔子说：“如果你态度庄重，他们自然会尊敬你；如果你孝顺父母、对子弟慈祥，百姓自然会忠诚于你；如果你任用善良的人、教导能力差的人，百姓就会勤勉而加倍努力了。”

【原文】

或[①]谓孔子曰：“子奚[②]不为政？”子曰：“《书》[③]云：‘孝乎惟孝，友于兄弟，施[④]于有政。’是亦为政，奚其为为政？”

【注释】

①或：不定代词，有人。②奚：疑问词，为什么。③《书》：指《尚书》。④施：施行，延及。

【译文】

有人对孔子说：“你为何不从事政治呢？”孔子回答说：“《尚书》上说：‘孝顺就是孝敬父母，爱护兄弟，要用这个道理去处理政事。’这也是从事政治，为什么非要做官才算是从政呢？”

【原文】

子曰：“人而无信，不知其可也。大车[①]无輗[②]，小车[③]无軏[④]，其何以行之哉？”

【注释】

①大车：指牛车。②輗（ní）：古代大车车辕前面横木上的木销子。

③小车：指马车。④軏（yuè）：古代小车车辕前面横木上的木销子。

【译文】

孔子说："一个人如果不讲信用，是不可以的。就像大车没有輗，小车没有軏，怎么可能行走呢？"

【原文】

子张问："十世①可知也？"子曰："殷因②于夏礼，所损益③可知也；周因于殷礼，所损益可知也。其或继周者，虽百世可知也。"

【注释】

①世：古时称三十年为一世。②因：沿用，继承。③损益：减少和增加。

【译文】

子张问孔子："今后三百年的礼仪制度可以预先知道吗？"孔子回答说："商朝继承沿袭夏朝的礼仪制度，减少和增加的内容，我们是可以知道的；周朝继承沿袭商朝的礼仪制度，废除和增加的内容，我们也是可以知道的。将来自然有继承周朝礼仪制度的，就是三千年以后的情况，我们也是可以知道的。"

【原文】

子曰："非其鬼①而祭之，谄②也。见义③不为，无勇也。"

【注释】

①鬼：这里泛指鬼神。②谄：谄媚。③义：正义的事，指人应该去做的事。

【译文】

孔子说："不属于你应该祭的鬼神，却去祭拜它，就是谄媚。看到应该挺身而出去做的事情，却不去做，就是怯懦。"

八佾篇第三

《八佾》包括二十六章，主要讲述“礼”的问题，主张维护礼在制度上、礼节上的种种规定。孔子在这一篇中提出“绘事后素”的命题，表达了他的伦理思想和“君使臣以礼，臣事君以忠”的政治道德主张。

【原文】

孔子谓季氏①：“八佾②舞于庭，是可忍③也，孰不可忍也？”

【注释】

①季氏：鲁国正卿季孙氏，即季平子。②八佾（yì）：古时一佾为八人，八佾就是六十四人。当时礼制规定，天子用六十四人的舞蹈队伍，诸侯用四十八人，大夫用三十二人。季孙氏为大夫，只可用三十二人，而他用六十四人，是不合礼制的。佾，行列的意思。③可忍：可以忍心。

【译文】

孔子谈到季孙氏时说：“在他的庭院里出现六十四人的奏乐舞蹈队伍，这样的事他都能忍心去做，还有什么事情他不能忍心去做呢？”

【原文】

三家①者以《雍》②彻。子曰：“‘相③维④辟公，天子穆穆⑤’，奚取于三家之堂⑥？”

【注释】

①三家：鲁国当政的三家，即孟孙氏、叔孙氏、季孙氏。②《雍》：《诗经·周颂》中的一篇。③相（xiàng）：助。④维：语气助词，无实义。⑤穆穆：庄严肃穆。⑥堂：待客祭祖的地方。

【译文】

孟孙氏、叔孙氏、季孙氏三家祭祖完毕后，在撤去祭品时命乐工唱《雍》这篇诗。孔子说："《雍》上说'诸侯恭敬地助祭，天子庄严肃穆地主祭'，它怎么能用在三家的庙堂呢？"

【原文】

子曰："人而不仁，如礼何？人而不仁，如乐何？"

【译文】

孔子说："一个人如果没有仁德，如何实行礼呢？一个人如果没有仁德，如何运用乐呢？"

【原文】

林放①问礼之本。子曰："大哉问！礼，与其奢也，宁俭；丧，与其易②也，宁戚③。"

【注释】

①林放：鲁国人。②易：治理。③戚：心中悲哀。

【译文】

林放问什么是礼的根本。孔子回答说："这个问题意义重大啊！礼节仪式，与其奢侈挥霍，不如勤俭节约；丧事仪式，与其治理周备，不如内心真正悲痛。"

【原文】

子曰："夷狄①之有君，不如诸夏②之亡③也。"

【注释】

①夷狄：古代中原地区的人对周边地区的人的贬称，谓之不开化，缺乏教养，不知书达理。②诸夏：古代中原地区的各诸侯国。③亡：通"无"。

【译文】

孔子说："夷狄之国有君主，还不如中原诸国没有君主呢。"

【原文】

季氏旅①于泰山。子谓冉有②曰:“女③弗能救④与?”对曰:“不能!”子曰:“呜呼!曾谓泰山不如林放乎?”

【注释】

①旅:祭名,祭祀山川为旅。按照当时礼制规定,天子和诸侯才可祭祀山川。②冉有:姓冉,名求,字子有,生于公元前522年,孔子的弟子。当时是季孙氏的家臣。③女:通“汝”。④救:劝阻。

【译文】

季孙氏去泰山祭祀。孔子对冉有说:“你不能劝阻他吗?”冉有回答:“不能。”孔子说:“哎呀!难道泰山神还不如林放知礼,会接受这种不合礼制的祭祀吗?”

【原文】

子曰:“君子无所争。必也射①乎!揖②让而升,下而饮。其争也君子。”

【注释】

①射:此处指古代的射礼。②揖:拱手行礼,表示尊敬。

【译文】

孔子说:“作为君子,没有什么可与别人相争的事情。如果有,那就是射箭比赛了。比赛时,先相互作揖,然后才上场,比赛完再相互作揖而退场,然后一起喝酒。这才是君子之争。”

【原文】

子夏问曰:“‘巧笑倩兮,美目盼兮①,素以为绚②兮。’何谓也?”子曰:“绘③事后素④。”

曰:“礼后乎?”子曰:“起⑤予⑥者商⑦也,始可与言《诗》已矣!”

【注释】

①巧笑倩兮，美目盼兮：见《诗经·卫风·硕人》篇。②绚：有文采。③绘：画。④素：白底。⑤起：启发。⑥予：孔子自指。⑦商：子夏姓卜，名商。

【译文】

子夏问孔子："'笑容真好看啊，美丽的眼睛真明亮啊，好像洁白的底子上画着美丽的图画。'这几句话是什么意思呢？"孔子说："是说先有白底才能画画。"

子夏又问："是不是说礼也是后起的呢？"孔子说："能启发我的人，就是商了，现在我可以和你讨论《诗经》了。"

【原文】

子曰："夏礼，吾能言之，杞①不足征②也；殷礼？吾能言之，宋③不足征也。文④献⑤不足故也，足，则吾能征之矣。"

【注释】

①杞：春秋时国名，传为夏禹后裔所建，在今河南杞县一带。②征：证明。③宋：春秋时国名，传为商汤后裔所建，在今河南商丘一带。④文：指历史典籍。⑤献：指贤人。

【译文】

孔子说："我能说出夏朝的礼，杞国不足以证明我的话；我能说出殷朝的礼，宋国不足以证明我的话。这是文字资料和熟悉夏礼、殷礼的人不多的缘故，如果足够多，我就可以引作证明。"

【原文】

子曰："禘①自既灌②而往者，吾不欲观之矣。"

【注释】

①禘（dì）：古代只有天子才可以举行的祭祀祖先的隆重的典礼。

②灌：禘祭中第一次献酒。

【译文】

孔子说："禘祭中第一次献酒之后，我就不愿意看了。"

【原文】

或问禘之说[①]。子曰："不知也。知其说者之于天下也，其如示诸斯[②]乎！"指其掌。

【注释】

①禘之说：关于禘祭的规定。说，理论，道理，规定。②斯：指后面的"掌"。

【译文】

有人问孔子举行禘祭的规定。孔子说："我不知道。知道这些规定的人对于天下的事，会像把东西摆在这里一样（容易）吧！"一面说一面指着他的手掌。

【原文】

祭如在，祭神如神在。子曰："吾不与祭，如不祭。"

【译文】

祭祀祖先的时候，要像祖先真的就在面前一样；祭神的时候，要像神真的就在面前一样。孔子说："如果不亲自参加祭祀，还不如不祭祀呢。"

【原文】

王孙贾[①]问曰："与其媚[②]于奥[③]，宁媚于灶[④]，何谓也？"子曰："不然，获罪于天[⑤]，无所祷也。"

【注释】

①王孙贾：卫灵公的大臣，时任大夫。②媚：谄媚，巴结，奉承。③奥：这里指屋内位居西南角的神，被认为是一室之主。④灶：这里指灶旁管烹饪的神。⑤天：以天喻君。

【译文】

王孙贾问道："大家都说与其巴结奥神，不如巴结灶神，是什么意思？"孔子说："不是这样，如果得罪了天，就没地方祷告了。"

【原文】

子曰："周监①于二代②，郁郁③乎文哉！吾从周。"

【注释】

①监：通"鉴"，借鉴。②二代：这里指夏代和商代。③郁郁：文采盛貌状。

【译文】

孔子说："周朝的礼仪制度借鉴于夏、商二代的礼制，是多么的丰富多彩啊！我遵从周朝的制度。"

【原文】

子入太庙①，每事问。或曰："孰谓鄹人之子②知礼乎？入太庙，每事问。"子闻之曰："是礼也。"

【注释】

①太庙：君主的祖庙。鲁国太庙即周公旦的庙，供鲁国人祭祀周公。②鄹（zōu）人之子：指孔子。鄹，春秋时鲁国地名，在今山东曲阜附近。

【译文】

孔子到了太庙，每件事都要问问。有人说："谁说这个人懂得礼仪呀？他到了太庙后，什么事都要问别人。"孔子听了，说："这就是礼呀！"

【原文】

子曰："射不主皮①，为力不同科②，古之道也。"

【注释】

①皮：用兽皮做成的箭靶子。②科：等级。

【译文】

孔子说："比赛射箭，不在于是否穿透靶子，因为人的力气大小有所不同，自古以来就是这样。"

【原文】

子贡欲去告朔[①]之饩羊[②]。子曰："赐也，尔爱[③]其羊，我爱其礼。"

【注释】

①告朔：古代制度。天子在每年秋冬之际，把第二年的历书颁发给诸侯，告知每个月的初一日，即"颁告朔"。诸侯将历书藏于祖庙，每月初一以一只活羊进行祭祀，即"告朔"。朔，农历每月初一。②饩（xì）羊：祭祀用的活羊。③爱：爱惜。

【译文】

子贡提出在每月初一告祭祖庙时不再用活羊。孔子说："赐呀，你爱惜那只羊，我却爱惜那种礼。"

【原文】

子曰："事君尽礼，人以为谄也。"

【译文】

孔子说："我完全按照周朝的礼仪制度去侍奉君主，但别人认为这是谄媚。"

【原文】

定公[①]问："君使臣，臣事君，如之何？"孔子对曰："君使臣以礼，臣事君以忠。"

【注释】

①定公：鲁国国君，姓姬，名宋，"定"是谥号。

【译文】

鲁定公问孔子："君主使唤臣下，臣子侍奉君主，要怎么做呢？"孔子回答说："君主应该用礼的要求使唤臣子，臣子应该以忠诚来侍奉君主。”

【原文】

子曰：“《关雎》[①]乐而不淫[②]，哀而不伤。”

【注释】

①《关雎》：《诗经》的第一篇，写君子追求淑女时辗转反侧、寤寐思之的忧思，以及结婚时钟鼓乐之琴瑟友之的欢乐。②淫：指过分而致失当。

【译文】

孔子说：“《关雎》这篇诗，快乐而不失当，忧伤而不哀愁。”

【原文】

哀公问社[①]于宰我。宰我[②]对曰：“夏后氏以松，殷人以柏，周人以栗，曰使民战栗[③]。”子闻之曰：“成事不说，遂事不谏，既往不咎。”

【注释】

①社：指土地神，祭祀土神的庙也称社。②宰我：姓宰，名予，字子我，孔子的学生。③战栗：恐惧，发抖。

【译文】

鲁哀公问宰我作社主应该用什么木头。宰我回答说：“夏朝用松树，殷商用柏树，周朝用栗子树，用栗子树是为了使老百姓恐惧。”孔子听了，说：“做过的事不必再提，完成的事不必再劝，已去的事也不必再追究。”

【原文】

子曰：“管仲[①]之器小哉！”

或曰：“管仲俭乎？”曰：“管氏有三归[②]，官事不摄[③]，焉得俭？”

“然则管仲知礼乎？”曰：“邦君树[④]塞门[⑤]，管氏亦树塞门；邦君为两君之好，有反坫[6]，管氏亦有反坫。管氏而知礼，孰不知礼？”

【注释】

①管仲：姓管，名夷吾，齐国人。春秋时期的法家先驱；齐桓公的宰相，辅助齐桓公成为霸主。②三归：相传是三处藏钱币的府库。③摄：兼任。④树：树立。⑤塞门：在大门口筑的一道短墙，以别内外，相当于屏风、照壁等。⑥反坫（diàn）：古代君主招待别国国君时，放置献过酒的空杯子的土台。

【译文】

孔子说：“管仲这个人的器量真是太狭小了！”

有人问：“管仲节俭吗？”孔子说：“他有三处藏钱币的府库，他家管事的人没有兼任的，怎么算得上节俭呢？”

那人又问：“那管仲知礼吗？”孔子回答：“国君的大门口树立照壁，管仲在大门口也树立照壁。国君与别国国君会见时在堂上有放空酒杯的土台，管仲也有这样的土台。如果说他知礼，还有谁不知礼呢？”

【原文】

子语[1]鲁大师[2]乐，曰：“乐其可知也：始作，翕[3]如也；从[4]之，纯[5]如也，皦[6]如也，绎[7]如也，以成。”

【注释】

①语：告诉，作动词。②大（tài）师：乐官名。③翕（xī）：聚，协调。④从：通“纵”，放纵，展开。⑤纯：美好，和谐。⑥皦（jiǎo）：指音节分明。⑦绎：连续不断。

【译文】

孔子对鲁国乐官谈论演奏音乐的道理，说：“奏乐是有规律可循的：开始演奏时，各种乐器协调，声音繁美；展开下去，悠扬悦耳，音节分明，连续不断，直到最后完成。”

【原文】

仪[①]封人[②]请见，曰："君子之至于斯也，吾未尝不得见也。"从者见之。出，曰："二三子何患于丧[③]乎？天下之无道也久矣，天将以夫子为木铎[④]。"

【注释】

①仪：地名，在今河南兰考县境内。②封人：系镇守边疆的官吏。③丧：指失去官职。④木铎（duó）：以木为舌的铃铛。

【译文】

仪这个地方的长官请见孔子，他说："只要君子到这里来，我从没有不拜见的。"孔子的随从引他拜见了孔子。他出来后对孔子的学生们说："你们几位何必为没有官位而忧虑呢？天下无道已经很久，上天将以孔夫子为木铎来号令天下。"

【原文】

子谓《韶》[①]："尽美[②]矣，又尽善[③]也。"谓《武》[④]："尽美矣，未尽善也。"

【注释】

①《韶》：相传为歌颂舜的一种乐舞。②美：用以形容乐曲的音调、舞蹈的形式。③善：用以形容乐舞的思想内容。④《武》：相传为歌颂周武王的一种乐舞。

【译文】

孔子讲到《韶》这一乐舞时说："艺术形式很美，内容也很好。"谈到《武》这一乐舞时说："艺术形式也很美，但内容差一些。"

【原文】

子曰："居上不宽，为礼不敬，临丧不哀，吾何以观之哉？"

【译文】

孔子说："处于执政地位的人，如果不能宽厚待人，行礼时不严肃，参加丧礼时不悲哀，我怎么看得下去呢？"

里仁篇第四

《里仁》包括二十六章，内容涉及义与利的关系、个人的道德修养、孝敬父母，以及君子与小人之间的区别。本篇阐述了儒家的若干重要范畴、原则和理论，对后世产生了较大影响。

【原文】

子曰："里仁为美①。择不处②仁，焉得知③？"

【注释】

①里仁为美：住在有仁者的地方才好。里，住处，作动词用。②处：居住。③知：同"智"。

【译文】

孔子说："住在有仁德之人的地方才好。所选择的住处，如果没有仁德之人，这怎么能算明智呢？"

【原文】

子曰："不仁者，不可以久处约①，不可以长处乐。仁者安仁②，知者利仁③。"

【注释】

①约：穷困，困窘。②安仁：安于仁道。③知者利仁：指智者认为仁对自己有利而行仁道。

【译文】

孔子说："没有仁德的人不能长久地处在穷困之中，也无法长久地处在安乐之中。有仁德的人是安于仁道的，有智慧的人知道仁对自己有利。”

【原文】

子曰：“唯仁者能好[①]人，能恶[②]人。”

【注释】

①好（hào）：喜爱，喜好。②恶（wù）：憎恶，讨厌。

【译文】

孔子说：“只有那些有仁德的人才能喜爱人，才能讨厌人。”

【原文】

子曰：“苟志于仁矣，无恶也。”

【译文】

孔子说：“如果立志实行仁道，就不会做坏事了。”

【原文】

子曰：“富与贵，是人之所欲[①]也；不以其道得之，不处也。贫与贱，是人之所恶也；不以其道得之，不去也。君子去仁，恶乎成名？君子无终食之间违仁，造次[②]必于是，颠沛必于是。”

【注释】

①欲：期待，喜好。②造次：匆忙，仓促。

【译文】

孔子说：“人人都想得到富裕和显贵，但如果不用正当的方法得到它们，就不能享有。人人都厌恶贫穷与低贱，但如果不用正当的方法摆脱它们，就不能摆脱。如果君子失掉了仁德，又怎能叫君子呢？君子没有一顿饭的时间是违背仁德的，就算在最紧迫的时候也一定按照仁德行事，就算在颠沛流离的时候也一定按仁德行事。”

【原文】

子曰："我未见好仁者，恶不仁者。好仁者，无以尚之；恶不仁者，其为仁矣，不使不仁者加乎其身。有能一日用其力于仁矣乎？我未见力不足者。盖有之矣，我未之见也。"

【译文】

孔子说："我还没有见过爱好仁德的人，也没有见过厌恶不仁的人。爱好仁德的人，当然不能再好了；厌恶不仁的人，在实行仁德时，不让不仁德的人影响自己。真有人能在一天之中把自己的力量用于实行仁德吗？我还没有看见力量不够的。可能真有这种人，我没有见到吧。"

【原文】

子曰："人之过也，各于其党①。观过，斯知仁矣。"

【注释】

①党：类别，种类。

【译文】

孔子说："人们所犯的错误，分别归于不同的类别。考察一个人犯的错误，就可以知道他有没有仁德了。"

【原文】

子曰："朝闻道，夕死可矣。"

【译文】

孔子说："早晨得知真理，就是当天晚上死去也甘心了。"

【原文】

子曰："士志于道，而耻恶衣恶食者，未足与议也。"

【译文】

孔子说："一个人如果有志于追求和学习真理，却又以自己吃穿不好为耻辱，这样的人是不值得与他谈论真理的。"

【原文】

子曰："君子之于天下也，无适[①]也，无莫[②]也，义之与比[③]。"

【注释】

①适：亲近，厚待。②莫：疏远，冷淡。③比：亲近，靠近。

【译文】

孔子说："君子对于天下的人和事，是没有固定的厚薄亲疏的，只是按照道义的要求去做。"

【原文】

子曰："君子怀[①]德，小人怀土[②]；君子怀刑[③]，小人怀惠[④]。"

【注释】

①怀：思念。②土：乡土。③刑：刑罚，指法制。④惠：恩惠，指利益。

【译文】

孔子说："君子思念的是道德，小人思念的是乡土；君子想的是法制，小人想的是利益。"

【原文】

子曰："放[①]于利而行，多怨[②]。"

【注释】

①放：通"仿"，效法，追求。②怨：别人的怨恨。

【译文】

孔子说："为了追求利益而行动，会招致很多怨恨。"

【原文】

子曰："能以礼让为国乎？何有[①]！不能以礼让为国，如礼何[②]？"

【注释】

①何有：即何难之有。②如礼何：如何对待礼。礼，这里指礼的内容实质，与“礼让”所指的礼的形式相对。

【译文】

孔子说：“能够用礼让原则来治理国家吗？这有什么困难呢！不能用礼让原则来治理国家，如何对待礼呢？”

【原文】

子曰：“不患无位，患所以立；不患莫己知，求为可知也。”

【译文】

孔子说：“不怕没有官位，就怕自己没有学到让自己立于世的本事；不怕没有人知道自己，只求自己成为有真才实学的人，从而值得为人们所知。”

【原文】

子曰：“参乎！吾道一以贯之。”曾子曰：“唯。”

子出，门人问曰：“何谓也？”曾子曰：“夫子之道，忠恕而已矣！”

【译文】

孔子说：“参啊！我的学说是有一个基本思想贯穿始终的。”曾子说：“对。”

孔子出去后，有人问曾子：“这是什么意思？”曾子说：“老师的学说，就是忠恕啊。”

【原文】

子曰：“君子喻于义，小人喻于利。”

【译文】

孔子说：“君子明白大义，小人知道的是小利。”

【原文】

子曰：“见贤思齐焉，见不贤而内自省也。”

【译文】

孔子说："见到贤德之人就应该向他看齐，见到不贤德之人就应该自我反省，看看自己有没有犯和他相类似的错误。"

【原文】

子曰："事父母几①谏。见志不从，又敬不违，劳②而不怨。"

【注释】

①几（jī）：轻微，这里指委婉。②劳：忧愁，烦劳。

【译文】

孔子说："侍奉父母，只能委婉地劝说他们改正错误。如果表达了自己的意见，父母还是不愿听从，那也要对他们恭恭敬敬，不违抗他们的意思，担忧他们而不怨恨。"

【原文】

子曰："父母在，不远游①，游必有方②。"

【注释】

①游：指游学、求官、经商等需要离家远行的活动。②方：明确的方向。

【译文】

孔子说："父母在世，则不远离家乡，若是不得已而出远门，也必须有明确的方向。"

【原文】

子曰："三年①无改于父之道②，可谓孝矣。"

【注释】

①三年：指较长的时间。三，约数，指多。②道：正道，指"合理的内容"。

【译文】

孔子说："如果一个人对他父亲的正道长期坚持而不加改变，这样的人就可以说是尽孝了。"

【原文】

子曰:“父母之年，不可不知也。一则以喜，一则以惧。”

【译文】

孔子说:“父母的年纪不可以不知道。一方面为他们的长寿而高兴，一方面为他们的衰老而忧惧。”

【原文】

子曰:“古者言之不出，耻躬之不逮也。”

【译文】

孔子说:“古人不肯轻易把话说出口，是因为他们以自己做不到为可耻。”

【原文】

子曰:“以约[①]失之者，鲜[②]矣！”

【注释】

①约:约束。②鲜:少。

【译文】

孔子说:“用礼来约束自己而犯错误的，这种情况是很少的。”

【原文】

子曰:“君子欲讷[①]于言，而敏[②]于行。”

【注释】

①讷:这里指说话要谨慎。②敏:敏捷，快速。

【译文】

孔子说:“君子说话要谨慎，但行动要敏捷。”

【原文】

子曰:“德不孤，必有邻。”

【译文】

孔子说:“有德之人不会孤立无援，一定有志同道合之人与他相处。”

【原文】

子游曰："事君数①，斯②辱矣；朋友数，斯疏矣。"

【注释】

①数：烦琐。②斯：就。

【译文】

子游说："侍奉君主太烦琐，就会遭受侮辱；对待朋友太烦琐，就会被疏远。"

公冶长篇第五

本篇共计二十八章，主要内容是孔子和他的学生们从不同的角度探讨仁德的特征。本篇中著名的句子有"朽木不可雕也，粪土之墙不可杇也""听其言而观其行""敏而好学，不耻下问""三思而后行"，等等，对后世产生了较大影响。

【原文】

子谓公冶长①："可妻也。虽在缧绁②之中，非其罪也。"以其子③妻之。

【注释】

①公冶长：齐国人，姓公冶，名长，字子长，孔子的弟子。②缧绁：这里借指牢狱。③子：古时无论儿女，均称子。

【译文】

孔子评价公冶长说："可以把女儿嫁给他。虽然他被关在牢狱中，但这并不是他的罪过。"于是孔子把女儿嫁给了他。

【原文】

子谓南容①："邦有道②，不废③；邦无道，免于刑戮④。"

以其兄之子妻之。

【注释】

①南容：姓南宫，名适（kuò），字子容，孔子的学生。②有道：这里指国家的政治符合最好的原则。③废：废置，不任用。④刑戮：刑罚。

【译文】

孔子评价南容说："国家有道时，他可以被任用为官；国家无道时，他可以免遭刑罚。"于是把自己的侄女嫁给了他。

【原文】

子谓子贱[①]："君子哉若人[②]！鲁无君子者，斯焉取斯[③]？"

【注释】

①子贱：姓宓（fú），名不齐，字子贱，孔子的学生。②若人：此人。③斯：此，指君子的品德。

【译文】

孔子评价子贱说："这个人真是君子啊！如果鲁国没有君子，他是从哪里学到这种品德的呢？"

【原文】

子贡问曰："赐也何如？"子曰："女，器也。"曰："何器也？"曰："瑚琏[①]也。"

【注释】

①瑚琏：古代祭祀时盛放粮食的器皿。这里指子贡是栋梁之材。

【译文】

子贡问孔子："你觉得我这个人怎么样？"孔子说："你就像一个器具。"子贡问："什么器具？"孔子说："就是瑚琏啊。"

【原文】

或曰："雍[①]也仁而不佞[②]。"子曰："焉用佞？御人以口给[③]，屡憎于人。不知其仁[④]，焉用佞？"

【注释】

①雍：姓冉，名雍，字仲弓，孔子的学生。②佞：能言善辩。③口给（jǐ）：伶牙俐齿。④不知其仁：指有口才者仁德与否并不可知。

【译文】

有人说："雍这个人虽然有仁德但不善辩。"孔子说："为什么要能言善辩呢？靠伶牙俐齿与人争辩，常常会让别人讨厌。这样的人我不知道他是不是有仁德，就算有，又何必要能言善辩呢？"

【原文】

子使漆雕开[1]仕。对曰："吾斯之未能信。"子说[2]。

【注释】

①漆雕开：姓漆雕，名开，字子开，孔子的弟子。②说：同"悦"。

【译文】

孔子让漆雕开去做官。漆雕开回答说："我对做官这件事还没有信心。"孔子听了很高兴。

【原文】

子曰："道不行，乘桴[1]浮于海。从[2]我者，其由与？"子路闻之喜。子曰："由也好勇过我，无所取材。"

【注释】

①桴：指过河用的木筏子。②从：跟随。

【译文】

孔子说："如果我的主张行不通，我就乘木筏子到海外去。能跟随我的可能只有仲由一个人！"子路听了很高兴。孔子说："仲由的勇敢超过了我，但这是不足取的啊。"

【原文】

孟武伯问："子路仁乎？"子曰："不知也。"又问。子曰："由也，千乘之国，可使治其赋[1]也，不知其仁也。"

“求也何如？”子曰：“求也，千室之邑②，百乘之家③，可使为之宰④也，不知其仁也。”

“赤⑤也何如？”子曰：“赤也，束带立于朝⑥，可使与宾客言也，不知其仁也。”

【注释】

①赋：兵赋。②邑：指古代居民的聚居点。③百乘之家：指卿大夫的采邑，当时若是有百乘就指采邑中的较大者。④宰：总管。⑤赤：姓公西，名赤，字子华，孔子的学生。⑥束带立于朝：指穿着礼服站在朝廷上。

【译文】

孟武伯问孔子：“子路是否具有仁德？”孔子说：“我不知道。”孟武伯追问。孔子说：“仲由这个人，在拥有千辆兵车的诸侯那里，可以让他管理军事，但我不知道他是否具有仁德。”

孟武伯又问：“冉求呢？”孔子说：“冉求这个人可以让他在有千户人家的公邑或有一百辆兵车的采邑里当总管，但我也不知道他是否具有仁德。”

孟武伯又问：“公西赤又如何？”孔子说：“公西赤嘛，可让他穿着礼服站在朝廷上接待贵宾，但我也不知道他是否具有仁德。”

【原文】

子谓子贡曰：“女与回也孰愈①？”对曰：“赐也何敢望回？回也闻一以知十，赐也闻一以知二。”子曰：“弗如也！吾与②女弗如也。”

【注释】

①愈：胜过。②与：赞同，同意。

【译文】

孔子对子贡说：“你和颜回相比谁更好一些？”子贡回答说：“我怎么敢奢望和颜回比？颜回听到一件事就可以推知全

部，而我只能推知其中一二。”孔子说：“你不如他啊！我赞同你所说的你不如他。”

【原文】

宰予昼寝。子曰：“朽木不可雕也，粪土之墙不可杇[1]也。于予与何诛[2]？”子曰：“始吾于人也，听其言而信其行；今吾于人也，听其言而观其行。于予与[3]改是。”

【注释】

①杇（wū）：作动词用，指用抹子粉刷墙壁。②诛：责备，批评。③与：语气词。

【译文】

宰予白天睡觉。孔子说：“腐朽的木头无法雕刻，粪土般的墙壁无法粉刷。责备宰予还有什么用？”孔子说：“起初我了解一个人，是听了他说的话便相信他的行为；现在我要了解一个人，听了他说的话之后，还要观察他的行为。是宰予改变了我观察人的方法。”

【原文】

子曰：“吾未见刚者！”或对曰：“申枨[1]。”子曰：“枨也欲，焉得刚？”

【注释】

①申枨：姓申，名枨（chéng），字周，孔子的学生。

【译文】

孔子说：“我没有见过刚强的人！”有人回答：“申枨就是刚强的人。”孔子说：“申枨这个人有太多欲望，怎么能刚强呢？”

【原文】

子贡曰：“我不欲人之加诸我也，吾亦欲无加诸人。”子曰：“赐也，非尔所及也。”

【译文】

子贡说："我不愿做别人强加给我的事，我也不愿把这样的事强加给别人。"孔子说："赐啊，这不是你所能做到的。"

【原文】

子贡曰："夫子之文章[①]，可得而闻也；夫子之言性[②]与天道[③]，不可得而闻也。"

【注释】

①文章：这里指孔子传授的诗、书、礼、乐等知识。②性：人性。③天道：天命。

【译文】

子贡说："老师传授的诗、书、礼、乐等知识，依靠耳闻就能够学到；老师讲授的人性及天命的道理，只依靠耳闻是不可能学到的。"

【原文】

子路有闻，未之能行，唯恐有闻。

【译文】

子路得知一个道理，但没能亲自实行时，就很害怕又听到新的道理。

【原文】

子贡问曰："孔文子[①]何以谓之'文'也？"子曰："敏[②]而好学，不耻下问，是以谓之'文'也。"

【注释】

①孔文子：卫国大夫孔圉（yǔ），"文"为谥号，"子"为尊称。②敏：勤勉。

【译文】

子贡问孔子："为什么给孔文子'文'的谥号？"孔子说："他勤勉而好学，不以向地位卑下的人请教为耻，因而给他

'文'的谥号。"

【原文】

子谓子产[①]："有君子之道四焉：其行己也恭，其事上也敬，其养民也惠，其使民也义。"

【注释】

①子产：姓公孙，名侨，字子产，春秋时郑国的贤相。

【译文】

孔子评价子产："他有君子的四种品德：行为庄重，侍奉君主恭敬，养护百姓有恩惠，役使百姓有法度。"

【原文】

子曰："晏平仲[①]善与人交，久而敬之[②]。"

【注释】

①晏平仲：齐国的贤大夫，姓晏，名婴，字仲，"平"为谥号。②之：这里指代晏平仲。

【译文】

孔子说："晏平仲擅长交友，相识久了别人仍然尊敬他。"

【原文】

子曰："臧文仲[①]居蔡[②]，山节[③]藻棁[④]，何如其知也？"

【注释】

①臧文仲：姓姬，臧氏，名辰，后世称臧孙辰。臧哀伯次子，"文"为谥号，因而又称臧文仲。②蔡：国君占卜用的大龟。③节：柱上的斗拱。④棁（zhuō）：房梁上的短柱。

【译文】

孔子说："臧文仲藏了一只大龟，藏龟的屋子的斗拱雕成山的形状，短柱上画的是水草花纹，他这个人怎么称得上智慧呢？"

【原文】

子张问曰："令尹[①]子文[②]三[③]仕为令尹，无喜色；三已[④]之，无愠色。旧令尹之政，必以告新令尹。何如？"子曰："忠矣。"曰："仁矣乎？"曰："未知，焉得仁？"

"崔子[⑤]弑[⑥]齐君[⑦]，陈文子[⑧]有马十乘，弃而违之。至于他邦，则曰：'犹吾大夫崔子也。'违之。之一邦，则又曰：'犹吾大夫崔子也。'违之。何如？"子曰："清矣。"曰："仁矣乎？"曰："未知，焉得仁？"

【注释】

①令尹：官名，相当于宰相。②子文：楚国的著名宰相。③三：指多次。④已：罢免。⑤崔子：齐国大夫崔杼。⑥弑：臣子杀死君主叫弑。⑦齐君：指被崔杼所杀的齐庄公。⑧陈文子：齐国大夫，名须无。

【译文】

子张问孔子："令尹子文多次成为楚国的宰相，却没有显出高兴的样子；多次被免职，也没有显出怨恨的样子。他每次被免职都会把自己所知的一切政事全部详细地告知新接任者。你觉得这个人怎么样？"孔子说："可以算得上是忠。"子张问："算得上仁吗？"孔子说："不知道，这怎么能算得上仁呢？"

"崔杼杀了齐庄公，陈文子舍弃家里四十匹马，离开齐国。到了另一个国家，他说：'这里的执政者和齐国大夫崔杼差不多。'然后离开了。又到了一个国家，又说：'这里的执政者和崔杼差不多。'然后离开了。你看这个人如何？"孔子说："可以算得上清高了。"子张说："算得上仁吗？"孔子说："不知道，这怎么算得上仁呢？"

【原文】

季文子[①]三思而后行。子闻之，曰："再，斯[②]可矣。"

【注释】

①季文子：季孙行父，“文”为谥号。②斯：就。

【译文】

季文子做任何事情都要慎重考虑多次。孔子听到了，说：“考虑两次就够了。”

【原文】

子曰：“宁武子[①]，邦有道，则知；邦无道，则愚[②]。其知可及也，其愚不可及也。”

【注释】

①宁武子：姓宁，名俞，卫国大夫，“武”为谥号。②愚：装傻。

【译文】

孔子说：“宁武子这个人，当国家有道时就显得很聪明，当国家无道时就装傻。别人做得到他的聪明，但做不到他的装傻。”

【原文】

子在陈[①]，曰：“归与！归与！吾党[②]之小子[③]狂简[④]，斐然[⑤]成章，不知所以裁[⑥]之！”

【注释】

①陈：古国名，约在今河南东部和安徽北部一带。②吾党：我的故乡。③小子：指孔子在鲁国的学生。④狂简：志向远大但行为简单粗率。⑤斐然：有文采的样子。⑥裁：节制。

【译文】

孔子在陈国说：“回去！回去！我的故乡的弟子有远大志向，但行为简单粗率，就算有文采也不知道如何节制自己！”

【原文】

子曰：“伯夷、叔齐[①]不念旧恶，怨是用希[②]。”

【注释】

①伯夷、叔齐：殷朝末年孤竹君的两个儿子。②希：同“稀”。

【译文】

孔子说：“伯夷、叔齐两个人不记人们过去的仇恨，因此，（人们对他们的）怨恨也就少了。”

【原文】

子曰：“孰谓微生高①直？或乞醯②焉，乞诸其邻而与之。”

【注释】

①微生高：即尾生高，《庄子·盗跖》中记载抱柱守信的故事。②醯（xī）：醋。

【译文】

孔子说：“是谁说微生高这个人很直率？曾有人向他讨点儿醋，他不说没有，而是暗自到邻居家讨了点儿给人家。”

【原文】

子曰：“巧言、令色、足恭①，左丘明②耻之，丘亦耻之。匿怨而友其人，左丘明耻之，丘亦耻之。”

【注释】

①足恭：指过分恭敬。②左丘明：鲁国人，史学界对其姓名存有争议，一说姓左丘，名明；一说姓丘，名明，因其父曾任左史官，又称其为左丘明。

【译文】

孔子说：“花言巧语、低三下四、过分恭敬的人，左丘明认为可耻，我也认为可耻。把怨恨装在心里，表面上却装出友好的样子，左丘明认为这种人可耻，我也认为可耻。”

【原文】

颜渊、季路侍①。子曰：“盍②各言尔志？”

子路曰：“原车马衣轻裘，与朋友共，敝之而无憾。”

颜渊曰：“愿无伐③善，无施④劳⑤。”

子路曰：“愿闻子之志。”

子曰：“老者安之，朋友信之，少者怀之⑥。”

【注释】

①季路：即仲由，姓仲，名由，字子路。侍：服侍。②盍：何不。③伐：夸耀。④施：表白。⑤劳：功劳。⑥少者怀之：让少者得到关怀。

【译文】

颜渊、子路侍立在孔子身旁。孔子说：“你们为何不说说各自的志向？”

子路说：“愿意拿出车马、衣服、皮袍和我的朋友一起使用，即使用坏了也不抱怨。”

颜渊说：“我愿意不夸耀自己的长处，不表白自己的功劳。”

子路说：“想听听先生的志向。”

孔子说：“让年老的安心，让友人信任我，让年轻人得到关怀。”

【原文】

子曰：“已矣乎！吾未见能见其过而内自讼者也。”

【译文】

孔子说：“算了！我还没有见过哪个人能看到自己的错误，而又能从内心责备自己。”

【原文】

子曰：“十室之邑，必有忠信如丘者焉，不如丘之好学也。”

【译文】

孔子说：“就算是只有十户人家这样的小村，也一定有像我这样讲忠信的人，只不过不如我好学罢了。”

雍也篇第六

《雍也》包括三十章，其中数章谈到颜回，孔子对他的评价甚高。此外，本篇涉及“中庸之道”“恕”“文质”等，还包括培养仁德的一些主张。

【原文】

子曰：“雍①也可使南面②。”

【注释】

①雍：即冉雍，字仲弓，孔子的学生。②南面：古代以面向南为尊位，天子、诸侯及官员听政均是面向南面而坐，这里泛指做官治民。

【译文】

孔子说：“雍这个人可以去做官治民了。”

【原文】

仲弓问子桑伯子①。子曰：“可也，简②。”

仲弓曰：“居敬③而行简④，以临⑤其民，不亦可乎？居简而行简，无乃⑥大⑦简乎？”子曰：“雍之言然。”

【注释】

①桑伯子：人名。②简：简要。此处指桑伯子办事简要不烦琐。③居敬：为人恭敬严肃。④行简：指推行政事简而不繁。⑤临：治理。⑥无乃：岂不是。⑦大：通“太”。

【译文】

仲弓问孔子桑伯子这个人怎么样。孔子说：“这个人还可以，办事简要。”

仲弓说：“为人恭敬严肃而行事简要，这样的人治理百姓不是也可以吗？可如果自己马马虎虎，又要以简单的方法办事，这岂不太简单了？”孔子说：“雍，你的话是正确的。”

【原文】

哀公问：“弟子孰为好学？”孔子对曰：“有颜回者好学，不迁怒①，不贰过②。不幸短命死矣③，今也则亡④，未闻好学者也。”

【注释】

①不迁怒：不把对此人的怒气发泄到彼人身上。②不贰过：不犯同样的错误。③短命死矣：颜回死时年仅三十一岁，故有此说。④亡：通“无”。

【译文】

鲁哀公问：“你的学生当中谁最好学？”孔子回答说：“有个叫颜回的学生很好学，他从不迁怒于别人，也从不犯同样的过错。可惜短命死去了，现在没有那样的人了，我再也没有听说谁是好学的了。”

【原文】

子华①使于齐，冉子②为其母请粟③。子曰：“与之釜④。”

请益。曰：“与之庾⑤。”

冉子与之粟五秉⑥。

子曰：“赤之适齐也，乘肥马，衣轻裘。吾闻之也，君子周⑦急不继富。”

【注释】

①子华：姓公西，名赤，字子华，孔子的学生。②冉子：冉求，字子有，通称“冉有”，孔子的学生。③粟：指米。④釜（fǔ）：古代量器名，容积为当时的六斗四升。⑤庾（yǔ）：古代量器名，容积为当时的二斗四升。⑥秉：古代量器名，容积是当时的十六斛（hú）。⑦周：救济。

【译文】

子华出使齐国，冉有替他的母亲向孔子请求赞助一些粮食。孔子说：“那就给她六斗四升。”

冉有请求再增加一些。孔子说："那就再给她二斗四升。"

冉有却给了她八十斛。

孔子说："公西赤到齐国去，乘的是肥马驾的车子，穿的是既暖和又轻便的皮袍。我听说，君子只救济急需粮食的人，而不救济富人。"

【原文】

原思①为之宰②，与之粟九百③，辞。子曰："毋！以与尔邻里乡党④乎！"

【注释】

①原思：姓原，名宪，字子思，孔子的学生。②宰：管家。③九百：此处省略量词，故不可确知其数量。④邻里乡党：指原思的同乡。

【译文】

原思给孔子当管家，孔子给他米九百作为俸禄，原思推辞不要。孔子说："不要推辞。如果有多的，把它分给你的乡亲们！"

【原文】

子谓仲弓曰："犁牛①之子骍②且角，虽欲勿用③，山川④其舍⑤诸？"

【注释】

①犁牛：即耕牛。②骍（xīng）：红色。③用：指用于祭祀。④山川：山川之神，此喻上层统治者。⑤舍：舍弃。

【译文】

孔子对仲弓说："如果耕牛产下的牛犊长着红色的毛、整齐端正的角，就算人们不想用它作为祭品，难道山川之神会舍弃不用吗？"

【原文】

子曰："回也，其心三月①不违仁；其余则日月②至焉而已矣。”

【注释】

①三月：指较长的时间。②日月：指较短的时间。

【译文】

孔子说：“颜回啊，他的心可以在长时间内不违背仁德；其余的学生就只能在短时间内做到了。”

【原文】

季康子[①]问：“仲由可使从政也与？”子曰：“由也果[②]，于从政乎何有？”

曰：“赐也可使从政也与？”曰：“赐也达[③]，于从政乎何有？”

曰：“求也可使从政也与？”曰：“求也艺[④]，于从政乎何有？”

【注释】

①季康子：在公元前492年继其父为鲁国正卿。②果：果断。③达：顺畅。④艺：有才能技艺。

【译文】

季康子问孔子：“仲由可以管理国家政事吗？”孔子说：“仲由做事果断，管理国家政事有什么困难呢？”

季康子又问：“端木赐能管理国家政事吗？”孔子说：“端木赐通达事理，管理政事有什么困难呢？”

季康子又问：“冉求也可以管理国家政事吗？”孔子说：“冉求有才能技艺，管理国家政事有什么困难呢？”

【原文】

季氏使闵子骞[①]为费[②]宰。闵子骞曰：“善为我辞焉。如有复我[③]者，则吾必在汶上[④]矣。”

【注释】

①闵子骞：姓闵，名损，字子骞，鲁国人，孔子的学生。②费（bì）：季氏的封邑。③复我：再来召我。④汶（wèn）上：汶水北边。汶，即今山东大汶河。

【译文】

季氏派人请闵子骞去做费邑的长官。闵子骞对来请他的人说："请你帮我好好推辞吧。如果再来召我，我一定跑到汶水北边去。"

【原文】

伯牛①有疾，子问之，自牖②执其手，曰："亡③之，命矣夫④！斯人也而有斯疾也！斯人也而有斯疾也！"

【注释】

①伯牛：姓冉，名耕，字伯牛，孔子的学生。②牖：窗户。③亡：丧失，死亡。④夫：相当于"吧"。

【译文】

伯牛病了，孔子前去看望他，从窗户外面握着他的手，说："死亡是命里注定的吧！这样的人竟会得这样的病！这样的人竟会得这样的病！"

【原文】

子曰："贤哉！回也。一箪①食，一瓢饮，在陋巷②，人不堪其忧，回也不改其乐。贤哉！回也。"

【注释】

①箪：古代盛饭用的竹器。②巷：指颜回的住处。

【译文】

孔子说："颜回的品质是多么高尚啊！一碗饭，一瓢水，住简陋的小屋，别人都忍受不了这种穷困，但颜回没有改变自有的快乐。颜回的品质是多么高尚啊！"

【原文】

冉求曰："非不说[①]子之道，力不足也。"子曰："力不足者，中道而废。今女画[②]。"

【注释】

①说：同"悦"。②画：停止。

【译文】

冉求说："我并不是不喜欢老师的学说，只是我的能力不够。"孔子说："能力不够的，走到半路会停下来。你现在是自己划了界限不想前进。"

【原文】

子谓子夏曰："女为君子儒，无为小人儒。"

【译文】

孔子对子夏说："你要做君子式的儒者，不要做小人式的儒者。"

【原文】

子游为武城[①]宰。子曰："女得人焉耳乎[②]？"曰："有澹台灭明[③]者，行不由径[④]，非公事，未尝至于偃[⑤]之室也。"

【注释】

①武城：鲁国的小城邑。②焉耳乎：焉、耳、乎均为语气助词。③澹台灭明：姓澹台，名灭明，字子羽，孔子的学生。④径：指邪路。⑤偃：即子游。姓言，偃为其名，子游为其字，是孔子的学生。

【译文】

子游做了武城的地方官。孔子说："你在那里得到什么人才了吗？"子游回答说："有个叫澹台灭明的，他从来不走邪路。没有公事的时候，他从不到我屋子里来。"

【原文】

子曰："孟之反[①]不伐[②]，奔[③]而殿[④]。将入门，策其马，曰：'非敢后也，马不进也。'"

【注释】

①孟之反：即孟之侧，鲁国大夫。②伐：夸耀。③奔：败走。④殿：指为全军最后做掩护。

【译文】

孔子说："孟之反不喜欢自我夸耀，战败撤退时，他留在最后掩护全军。快进城门时，他鞭打自己的马说：'不是我敢于做掩护，只是因为马不肯往前走。'"

【原文】

子曰："不有祝鮀[1]之佞，而有宋朝[2]之美，难乎免于今之世矣！"

【注释】

①祝鮀：字子鱼，卫国大夫，以能言善辩受到卫灵公重用。②宋朝：宋国的公子朝，卫国大夫。

【译文】

孔子说："如果你没有祝鮀那样的口才，而只有公子朝那样的美貌，那你就难以在当今社会中免受祸患了。"

【原文】

子曰："谁能出不由户？何莫由斯道也？"

【译文】

孔子说："有谁能不经过屋门就走出去呢？为什么没有人走我指出的这条道路？"

【原文】

子曰："质[1]胜文[2]则野[3]，文胜质则史[4]。文质彬彬[5]，然后君子。"

【注释】

①质：朴实。②文：文采。③野：此处指粗鲁。④史：指虚伪浮夸。

⑤彬彬：指文与质的配合很恰当。

【译文】

孔子说："如果质朴胜于文采，那就显得粗鲁；如果文采胜于质朴，就显得虚伪浮夸。只有质朴与文采配合得恰到好处，才是个真正的君子。"

【原文】

子曰："人之生也直，罔[①]之生也幸而免。"

【注释】

①罔：不正直的人。

【译文】

孔子说："一个人能够生存是因为他的正直，而不正直的人能得以生存只是因为他侥幸地避免了灾祸。"

【原文】

子曰："知之者不如好之者，好之者不如乐之者。"

【译文】

孔子说："对于学问，懂得它的人不如喜好它的人，喜好它的人不如以它为乐的人。"

【原文】

子曰："中人以上，可以语上也；中人以下，不可以语上也。"

【译文】

孔子说："具有中等以上智慧的人，可以给他讲高深的学问；具有中等偏下水平的人，不可以给他讲高深的学问。"

【原文】

樊迟问知[①]。子曰："务[②]民之义[③]，敬鬼神而远之，可谓知矣。"

问仁。曰："仁者先难而后获，可谓仁矣。"

【注释】

①知（zhì）：同“智”。②务：致力于。③义：人道，道德。

【译文】

樊迟问孔子什么样算是智慧。孔子说：“致力于提倡百姓应该遵从的道德，尊敬鬼神但要远离它，这就可以说是智慧了。”

樊迟又问什么样算是仁德。孔子说：“仁德之人对于难做的事总是冲在前面，收获结果时总在人后，这可说是仁德了。”

【原文】

子曰：“知①者乐水，仁者乐②山；知者动，仁者静；知者乐，仁者寿。”

【注释】

①知：同“智”。②乐：喜爱。

【译文】

孔子说：“拥有智慧的人喜水，拥有仁德的人爱山；拥有智慧的人灵动，拥有仁德的人沉静；拥有智慧的人快乐，拥有仁德的人长寿。”

【原文】

子曰：“齐一变，至于鲁；鲁一变，至于道。”

【译文】

孔子说：“齐国如果改变一下，可以达到鲁国的水平；鲁国如果改变一下，可达先王之道。”

【原文】

子曰：“觚①不觚，觚哉！觚哉！”

【注释】

①觚（gū）：古代盛酒的器具。

【译文】

孔子说："觚不像个觚了，还算觚吗！还算觚吗！"

【原文】

宰我问曰："仁①，者虽告之曰：'井有仁焉。'其从之也？"子曰："何为其然也？君子可逝②也，不可陷③也；可欺也，不可罔也。"

【注释】

①仁：指有仁德的人。②逝：往，指到井边去看并设法救之。③陷：陷入。

【译文】

宰我问道："对于有仁德的人，虽然别人告诉他：'井里有仁德之人。'他也会跟着跳下去吗？"孔子说："为什么要这样做呢？君子可以到井边去救，但不可陷入井中；君子可能会被欺骗，但不可能被迷惑。"

【原文】

子曰："君子博学于文，约①之以礼，亦可以弗畔②矣夫。"

【注释】

①约：约束。②畔：通"叛"。

【译文】

孔子说："君子广泛学习古代典籍，以礼来约束自己，这样也就能做到不离经叛道。"

【原文】

子见南子①，子路不说②。夫子矢③之曰："予所否④者，天厌之！天厌之！"

【注释】

①南子：卫灵公的夫人。②说：同"悦"。③矢：通"誓"。④否：不正当。

【译文】

孔子去见南子，子路不高兴。孔子便发誓说："如果我做了不正当的事，那就让上天谴责我吧！让上天谴责我吧！"

【原文】

子曰："中庸①之为德也，其至矣乎！民鲜久矣。"

【注释】

①中庸：无过无不及。

【译文】

孔子说："作为一种道德，中庸属于最高的了！人们缺乏这种道德已经很久了。"

【原文】

子贡曰："如有博施①于民而能济众②，何如？可谓仁乎？"子曰："何事于仁，必也圣乎！尧、舜③其犹病④诸⑤！夫仁者，己欲立而立人，己欲达而达人。能近取譬⑥，可谓仁之方也已。"

【注释】

①施：动词，指施恩。②众：众人。③尧、舜：传说中上古时代的两位帝王，儒家认为他们都是圣人。④病：担忧。⑤诸：之于。⑥能近取譬：即推己及人。

【译文】

子贡说："如果有个人能够施恩于百姓，还能周济大众，这个人怎么样呢？可以算是仁人吗？"孔子说："岂止是仁人，简直就是圣人了！尧、舜或许都会担忧自己能否做到呢！仁人要想自己站得住，还要帮助别人一同站得住，要想自己过得好，还要帮助别人一起过得好。凡事能推己及人，就是实行仁的方法。"

述而篇第七

《述而》包括三十八章，内容涉及孔子的教育思想和学习态度，对仁德等重要道德范畴做了深入阐释。

【原文】

子曰：“述①而不作②，信而好古，窃③比于我老彭④。”

【注释】

①述：传述。②作：创造。③窃：私自。④老彭：人名。

【译文】

孔子说：“只阐述却不创作，相信且喜爱古代的东西，我私自把自己比作老彭。”

【原文】

子曰：“默而识①之，学而不厌，诲②人不倦，何有于我哉③？”

【注释】

①识：记住。②诲：教诲。③何有于我哉：对我有什么难的呢。

【译文】

孔子说：“默默记住所学的知识，学习而不觉得厌烦，教导学生而不知道疲倦，对我有什么难的呢？”

【原文】

子曰：“德之不修，学之不讲，闻义不能徙①，不善不能改，是吾忧也。”

【注释】

①徙：迁移，引申为奔赴。应指践行。

【译文】

孔子说："很多人不去修养品德，不去讲求学问，听到义在那里而不奔赴行之，有了缺点也不改正，这些都是我所担忧的啊。"

【原文】

子之燕居[1]，申申[2]如也，夭夭[3]如也。

【注释】

①燕居：闲居。②申申：衣冠整洁。③夭夭：行动斯文舒缓。

【译文】

孔子闲居在家里时，衣冠整洁，行动斯文，身心舒畅自在。

【原文】

子曰："甚矣吾衰也！久矣吾不复梦见周公[1]。"

【注释】

①周公：姓姬，名旦，周文王之子，周武王之弟。

【译文】

孔子说："我衰老得非常厉害了！我已经好久没有梦见周公了。"

【原文】

子曰："志于道，据于德[1]，依于仁，游于艺[2]。"

【注释】

①德：能够把道贯彻到自己内心而不失掉就叫德。②艺：这里指孔子教授弟子们的礼、乐、射、御、书、数六艺。

【译文】

孔子说："以道为志向，以德为根本，以仁为依靠，游戏在六艺之中。"

【原文】

子曰："自行束脩[1]以上，吾未尝无诲焉！"

【注释】

①脩（xiū）：干肉，又叫脯。

【译文】

孔子说："只要谁愿意拿出十条干肉作为见面礼来拜见我，我没有不给他教诲的。"

【原文】

子曰："不愤①不启，不悱②不发。举一隅③不以三隅反，则不复也。"

【注释】

①愤：指苦思冥想仍无法领会。②悱：指想说又不能明确说出来。③隅（yú）：方位。这里以四方方位比喻事理的各个方面。

【译文】

孔子说："教导学生，等他实在弄不明白的时候再去开导他，在他想说却不能明确说出来的时候再去启迪他。教给他一个方面，如果他不能由此而推知其他更多方面，那就不要教他了。"

【原文】

子食于有丧者之侧，未尝饱也。

【译文】

孔子在有亲人死去的人旁边吃饭，从来没有吃饱过。

【原文】

子于是日哭，则不歌。

【译文】

孔子如果在这天为吊丧而哭泣，当天就不再唱歌。

【原文】

子谓颜渊曰："用之则行，舍①之则藏②，惟我与尔有是夫！"

子路曰："子行三军[3]，则谁与[4]？"

子曰："暴虎[5]冯河[6]，死而无悔者，吾不与也。必也临事而惧[7]，好谋而成者也。"

【注释】

①舍：舍弃。这里指"不用"。②藏：隐藏。③三军：指当时大国所有的军队。④与：陪从，偕同。⑤暴虎：赤手空拳与老虎搏斗。⑥冯河：无船而徒步过河。⑦惧：指谨慎。

【译文】

孔子对颜渊说："用我时我就去做，不用我时我就隐藏起来，现在只有我和你才能做到如此吧！"

子路问孔子说："如果老师您统率三军，那会和谁一起共事呢？"

孔子说："如果一个人赤手空拳和老虎搏斗，徒步涉水过河，死了都不会后悔，那样的人我是不会与他共事的。能与我共事的人，一定是遇事谨慎小心，善于谋划而能完成任务的人。"

【原文】

子曰："富[1]而可求[2]也，虽执鞭之士[3]，吾亦为之。如不可求，从吾所好。"

【注释】

①富：指升官发财。②可求：指合于道的追求财富的方法。③执鞭之士：指地位低下的职务。

【译文】

孔子说："如果富贵合于道就去追求，就算是给人执鞭那样的下等差事我也愿意去做。如果富贵不合于道就不要去追求，还是按个人的爱好去做事吧。"

【原文】

子之所慎：齐[1]、战、疾。

【注释】

①齐：同“斋”，斋戒。

【译文】

孔子持谨慎态度的东西是：斋戒、战争、疾病。

【原文】

子在齐闻《韶》[1]，三月不知肉味。曰：“不图为乐之至于斯也！”

【注释】

①《韶》：舜时古乐曲名。

【译文】

孔子在齐国听《韶》乐，之后三个月没有尝出肉的滋味。他说：“想不到《韶》乐的美妙达到让人如此沉醉的地步！”

【原文】

冉有曰：“夫子为[1]卫君[2]乎？”子贡曰：“诺[3]。吾将问之。”

入，曰：“伯夷、叔齐何人也？”曰：“古之贤人也。”曰：“怨乎？”曰：“求仁而得仁，又何怨？”

出，曰：“夫子不为也。”

【注释】

①为：帮助。②卫君：卫出公蒯辄，是卫灵公的孙子。③诺：表示答应。

【译文】

冉有问子贡：“你觉得老师会帮助卫国国君吗？”子贡说：“好。我去问问他。”

子贡进入孔子所在的屋子，问：“您认为伯夷、叔齐是怎样的人？”孔子说：“他们是古代的贤人。”又问：“你觉得他们有怨恨吗？”孔子说：“他们追求仁德而得到了仁德，怎么会有怨恨？”

子贡出来便说：“老师不会帮助卫国国君。”

【原文】

子曰：“饭[①]疏食[②]，饮水，曲肱[③]而枕之，乐亦在其中矣！不义而富且贵，于我如浮云。”

【注释】

①饭：吃。②疏食：粗粮。③曲肱：弯着胳膊。

【译文】

孔子说：“吃粗粮，喝白水，弯着胳膊当枕头，我乐在其中。用不正当的手段得来的富贵，对我来讲，如同天上的浮云。”

【原文】

子曰：“加[①]我数年，五十以学《易》[②]，可以无大过矣。”

【注释】

①加：通“假”。②《易》：《周易》。

【译文】

孔子说：“假如再给我一些时间，到了五十岁再学《周易》，我便没有什么大的过错了。”

【原文】

子所雅言[①]，《诗》《书》、执礼，皆雅言也。

【注释】

①雅言：周王朝时，以陕西语音为标准音的周王朝的官话，被称作“雅言”。

【译文】

孔子有用雅言的时候，读《诗经》《尚书》和行礼时用的都是雅言。

【原文】

叶公[1]问孔子于子路，子路不对。子曰：“女奚不曰：其为人也，发愤忘食，乐以忘忧，不知老之将至云[2]尔[3]。”

【注释】

①叶公：沈诸梁，字子高，楚国的大夫。②云：如此。③尔：通“耳”。

【译文】

叶公问子路，孔子是怎样的人，子路不回答。孔子说：“你为什么不这样说：他发愤用功，连吃饭都忘了，快乐得把一切忧虑都忘了，连快要老了都不知道，就是这样而已。”

【原文】

子曰：“我非生而知之者，好古，敏以求之者也。”

【译文】

孔子说：“我并非生来就有知识的人，只是爱好古代的东西，勤勉地去求得知识的人罢了。”

【原文】

子不语怪、力、乱、神。

【译文】

孔子不谈论怪异、暴力、叛乱、鬼神。

【原文】

子曰：“三人行，必有我师焉。择其善者而从之，其不善者而改之。”

【译文】

孔子说：“三个人一起走路，其中一定有人可以做我的老师。选择他好的品德学习，看到他不好的地方就引以为戒，改掉自己的缺点。”

【原文】

子曰："天生德于予，桓魋[1]其如予何？"

【注释】

①桓魋（tuí）：宋国的司马向魋，宋桓公的后代。

【译文】

孔子说："上天把德赋予我，桓魋又能把我怎么样？"

【原文】

子曰："二三子[1]以我为隐乎？吾无隐乎尔。吾无行而不与二三子者，是丘也。"

【注释】

①二三子：指孔子的弟子们。

【译文】

孔子说："弟子们认为我对你们有什么隐瞒吗？我是丝毫没有隐瞒的。我没有什么事情不向你们告知的，我就是这样的人。"

【原文】

子以四教：文[1]、行[2]、忠[3]、信[4]。

【注释】

①文：文献。②行：行为举止。③忠：忠诚，对人尽心竭力。④信：诚信，诚实。

【译文】

孔子教授弟子们的主要内容是：文献、品行、忠诚、诚信。

【原文】

子曰："圣人，吾不得而见之矣；得见君子者，斯[1]可矣。"

子曰："善人，吾不得而见之矣；得见有恒[2]者，斯可矣。亡而为有，虚而为盈，约[3]而为泰[4]，难乎有恒矣。"

【注释】

①斯：就。②恒：恒心。③约：穷困，贫穷。④泰：富足。

【译文】

孔子说："圣人啊，我是不可能看到了；能看到君子，我就知足了。"

孔子又说："善人啊，我也不可能看到了；能见到有恒心行善的人，我就知足了。没有却装作有，空虚却装作充实，贫穷却装作富足，这样的人是很难有恒心行善的。"

【原文】

子钓而不纲①，弋②不射宿③。

【注释】

①纲：大绳。②弋：用带绳子的箭来射鸟。③宿：归巢歇宿的鸟。

【译文】

孔子不用大绳系住网钩截流取鱼。他只射飞鸟，不射巢中歇宿的鸟。

【原文】

子曰："盖有不知而作之者，我无是也。多闻，择其善者而从之；多见而识之，知之次也。"

【译文】

孔子说："也许有一种人，他什么都不懂，却在那里凭空编造，我不会这样做。多听，选择好的来学习；多看并且记在心里，这是次等的智慧。"

【原文】

互乡①难与言，童子见，门人惑。子曰："与②其进③也，不与其退④也。唯何甚？人洁己⑤以进，与其洁也，不保⑥其往⑦也。"

【注释】

①互乡：地名。②与：赞许。③进：进步。④退：退步。⑤洁己：洁身

自好。⑥保：拘守。⑦往：过去。

【译文】

孔子认为很难与互乡那个地方的人说话，但他接见了互乡的一个童子，弟子们感到不解。孔子说："我赞许他的进步，而不赞许他的倒退。何必做得太过分？别人已经洁身自好而改正错误以求进步，我们要赞许他的洁身自好而改过，不要抓住他的过去不放。"

【原文】

子曰："仁远乎哉？我欲仁，斯仁至矣！"

【译文】

孔子说："仁德离我们很远吗？只要我想行仁德，仁德就来了。"

【原文】

陈司败①问："昭公②知礼乎？"孔子曰："知礼。"

孔子退，揖③巫马期④而进之，曰："吾闻君子不党⑤，君子亦党乎？君取⑥于吴，为同姓⑦，谓之吴孟子⑧。君而知礼，孰不知礼？"

巫马期以告。子曰："丘也幸，苟有过，人必知之。"

【注释】

①陈司败：陈国大夫，姓名不详。司败为官名。②昭公：鲁国的国君，名裯（chóu），"昭"为谥号。③揖：作揖。④巫马期：姓巫马，名施，字子期，孔子的学生。⑤党：偏袒。⑥取：同"娶"。⑦为同姓：鲁国和吴国的国君同姓姬。⑧吴孟子：鲁昭公夫人。

【译文】

陈司败问孔子："鲁昭公懂礼仪吗？"孔子说："他懂得礼仪。"

孔子出来后，陈司败向巫马期作了个揖，让他靠近自己，对他说："我听说君子是公正无私的，难道君子还会偏袒他人吗？鲁君娶了吴国的同姓女子作为夫人，因她与国君同姓，便称她为吴孟子。如果鲁君算是知礼的人，还有谁不知礼呢？”

巫马期把这些话告诉孔子。孔子说：“我很幸运，如果有错，别人一定会让我知道。”

【原文】

子与人歌而善，必使反之，而后和之。

【译文】

孔子与他人一起唱歌，如果那人唱得好，一定会请他再唱一遍，然后应和他。

【原文】

子曰：“文，莫①吾犹人也。躬行君子，则吾未之有得。”

【注释】

①莫：表示揣测，大概，或许。

【译文】

孔子说：“就文献知识来说，我和别人差不多。就身体力行地做一个君子，那我还没有做到。”

【原文】

子曰：“若圣与仁，则吾岂敢！抑①为之②不厌，诲人不倦，则可谓云尔③已矣！”公西华曰：“正唯弟子不能学也！”

【注释】

①抑：只不过是。②为之：指践行圣与仁。③云尔：这样而已。

【译文】

孔子说：“如果说到圣与仁，那我不敢当！只不过努力去做而不感到厌烦，教诲别人而不感到疲倦，只能说是这样而已啊。”公西华说：“这正是我们学不到的。”

【原文】

子疾[①]病[②]，子路请祷[③]。子曰："有诸[④]？"子路对曰："有之。《诔》[⑤]曰：'祷尔于上下神祇[⑥]。'" 子曰："丘之祷久矣。"

【注释】

①疾：指患病。②病：指病情严重。③请祷：祈祷。④诸：这样的事。⑤《诔》：祈祷文。⑥神祇（qí）：古代称天神为神，地神为祇。

【译文】

孔子病重，子路为之祈祷。孔子问他："有这回事吗？"子路说："有。《诔》文上说：'为你向天地神灵祈祷。'" 孔子说："我很久以前就在祈祷了。"

【原文】

子曰："奢则不孙[①]，俭则固[②]。与其不孙也，宁固。"

【注释】

①孙：同"逊"，恭顺。②固：寒酸。

【译文】

孔子说："奢侈就会越礼，节俭就会寒酸。与其越礼，不如寒酸。"

【原文】

子曰："君子坦荡荡[①]，小人长戚戚[②]。"

【注释】

①坦荡荡：心胸宽广、开阔。②长戚戚：经常忧愁、烦恼的样子。

【译文】

孔子说："君子心胸宽广，小人经常忧愁。"

【原文】

子温而厉，威而不猛，恭而安。

【译文】

孔子温和而严厉，威严却不凶猛，庄重而安详。

泰伯篇第八

《泰伯》共计二十一章，内容涉及孔子及其学生对尧、舜、禹等古代先王的评价，孔子教学方法和教育思想的不断发挥，孔子道德思想的具体内容，以及曾子在若干问题上的见解。

【原文】

子曰："泰伯①，其可谓至德也已矣！三②以天下让，民无得而称③焉。"

【注释】

①泰伯：周代始祖古公亶父的长子，有两个弟弟，即仲雍、季历，季历的儿子就是后来的周文王。②三：指多次。③无得而称：找不到合适的词句来称赞。

【译文】

孔子说："泰伯可以说是品德高尚的人，他多次把王位让给季历，百姓都找不到合适的词句来赞美他。"

【原文】

子曰："恭而无礼则劳①，慎而无礼则葸②，勇而无礼则乱，直而无礼则绞③。君子笃④于亲，则民兴于仁；故旧⑤不遗，则民不偷⑥。"

【注释】

①劳：劳苦。②葸（xǐ）：拘谨，畏惧。③绞：说话刻薄。④笃：真诚。⑤故旧：故交。⑥偷：淡漠。

【译文】

孔子说："恭敬而不用礼仪来指导，就会徒劳无功；谨慎行事而不用礼仪来指导，就会畏缩拘谨；勇猛而不用礼仪来指导，就会违法作乱；直率而不用礼仪来指导，就会说话刻薄。君子如果能真诚地善待自己的亲属，百姓当中就会兴起仁的风气；君子如果不遗弃故交，百姓就不会对人淡漠无情。”

【原文】

曾子有疾，召门弟子曰：“启[①]予足！启予手！《诗》云：‘战战兢兢，如临深渊，如履薄冰。’而今而后，吾知免[②]夫！小子[③]！”

【注释】

①启：视。②免：指身体免于损伤。③小子：对弟子的称呼。

【译文】

曾子患病，把弟子们召集到身边，说：“看看我的脚！看看我的手！《诗经》说：‘小心谨慎，就像站在深渊旁，就像踩在薄冰上。’从今往后，我知道自己的身体将免于受到损伤了！弟子们！”

【原文】

曾子有疾，孟敬子[①]问[②]之。曾子言曰：“鸟之将死，其鸣也哀；人之将死，其言也善。君子所贵乎道者三：动容貌[③]，斯远暴慢[④]矣；正颜色[⑤]，斯近信矣；出辞气[⑥]，斯远鄙[⑦]倍[⑧]矣。笾豆[⑨]之事，则有司[⑩]存。”

【注释】

①孟敬子：鲁国大夫仲孙捷。②问：探望。③动容貌：指容貌庄重严肃。④暴慢：粗暴放肆。⑤正颜色：指神色端庄、正派。⑥出辞气：指注意言语及口气。⑦鄙：粗野。⑧倍：通“背”，背离。⑨笾（biān）豆：笾和豆均是古代祭祀典礼中的用具。这里用于指代其中的细节。⑩有司：指主管具体事务的官吏。

【译文】

曾子有病，孟敬子去探望他。曾子对他说："鸟快死了，它的叫声也是哀怨的；人快死了，他说的话也是善意的。君子应该重视的'道'有三个方面：容貌庄重严肃，这可以避免粗暴放肆；神色端庄正派，这可以接近诚信；说话语气谨慎，这可以避免粗野与背离。至于祭祀中的礼仪细节，自然有主管这些事务的官吏负责。"

【原文】

曾子曰："以能问于不能，以多问于寡；有若无，实若虚，犯而不校①。昔者吾友②尝从事于斯矣。"

【注释】

①校：通"较"，计较。②吾友：我的朋友。

【译文】

曾子说："有才能的人向没有才能的人请教，知识多的人向知识少的人请教；有学问的人像没学问的人一样，知识广博充实却好像浅薄空虚，被人侵犯也不去计较。曾经我的朋友就是这样做的。"

【原文】

曾子说："可以托六尺之孤①，可以寄②百里之命③，临大节而不可夺也，君子人与？君子人也。"

【注释】

①孤：幼君。②寄：寄托，委托。③百里之命：指国家的政权和命运。

【译文】

曾子说："可以把年幼的君主托付给他，可以把国家的政权托付给他，面对事关生死存亡的紧急情况他也丝毫不动摇，这样的人是君子吗？是君子啊！"

【原文】

曾子曰："士不可以不弘[①]毅[②]，任重而道远。仁以为己任，不亦重乎？死而后已，不亦远乎？"

【注释】

①弘：借为"强"，刚强。②毅：有决断。

【译文】

曾子说："士不可不刚强有决断，因为他责任重大，前路漫漫。把实现仁作为自己的责任，难道不重大吗？为此奋斗终生，死而后已，这路程难道不遥远吗？"

【原文】

子曰："兴[①]于《诗》，立于礼，成于乐。"

【注释】

①兴：开始。

【译文】

孔子说："一个人的修养从学《诗经》开始，自立于学礼，到学乐时完成。"

【原文】

子曰："民可使由之，不可使知之。"

【译文】

孔子说："对于老百姓，可以使他们遵照道理去做，不可使他们知道为什么这样做。"

【原文】

子曰："好勇疾[①]贫，乱也。人而不仁[②]，疾之已甚[③]，乱也。"

【注释】

①疾：憎恨。②不仁：不符合仁德的人或事。③已甚：非常过分。

【译文】

孔子说："崇尚勇敢却憎恨贫穷，就会导致祸乱。对不仁德的人过分憎恨，就会导致祸乱。”

【原文】

子曰：“如有周公之才之美，使骄且吝，其余不足观也已。”

【译文】

孔子说：“君主就算有周公那般出众的才能和美好的品德，如果他骄傲自大而又吝啬小气，那其他方面就不值一提了。”

【原文】

子曰：“三年学，不至于谷①，不易得也。”

【注释】

①不至于谷：没有想要做官的念头。谷，为官的俸禄，指代做官。

【译文】

孔子说：“学了三年还没有想要做官的念头，是难得的。”

【原文】

子曰：“笃信好学，守死善道。危邦不入，乱邦不居。天下有道则见①，无道则隐。邦有道，贫且贱焉，耻也。邦无道，富且贵焉，耻也。”

【注释】

①见：同“现”。

【译文】

孔子说：“坚定信念努力学习，誓死守卫真理。不进入政局危险的国家，不居住在政治混乱的国家。天下政治清明就出来做官，政治黑暗就隐居不出。天下政治清明但自己贫贱，这是耻辱。政治黑暗但自己富贵，也是耻辱。”

【原文】

子曰：“不在其位，不谋其政。”

【译文】

孔子说：“不在那个位置上，就不要考虑那个位置上的事。”

【原文】

子曰："师挚①之始②，《关雎》之乱③，洋洋乎盈耳哉！"

【注释】

①师挚：鲁国的乐师，名挚。②始：乐曲的开端，即序曲。③乱：合奏乐，多出现在乐曲快结束时，因而可代指乐曲的尾声。

【译文】

孔子说："从乐师挚演奏序曲开始，到以演奏《关雎》结束，丰富而优美的音乐在我耳边回荡良久。"

【原文】

子曰："狂①而不直，侗②而不愿③，悾悾④而不信，吾不知之矣。"

【注释】

①狂：狂放。②侗：愚昧无知。③愿：谨慎，朴实。④悾悾：诚恳之貌。

【译文】

孔子说："狂放却不率直，愚昧却不谨慎，看起来诚恳却不守信用，我不懂得这样的人。"

【原文】

子曰："学如不及，犹恐失之。"

【译文】

孔子说："学习知识就像担心追赶不上，而又生怕丢掉什么似的。"

【原文】

子曰："巍巍①乎！舜②、禹③之有天下也，而不与④焉。"

【注释】

①巍巍：崇高、高大貌。②舜：传说中的圣君明主。③禹：夏朝的第一个国君。④与：参与。引申为享有。

【译文】

孔子说："崇高啊！舜、禹得到天下而不独享国家权力。"

【原文】

子曰："大哉尧①之为君也！巍巍乎，唯天为大，唯尧则②之。荡荡③乎！民无能名④焉。巍巍乎其有成功也！焕⑤乎其有文章！"

【注释】

①尧：古代传说中的圣明君主。②则：效法。③荡荡：广大貌。④名：称赞。⑤焕：光辉。

【译文】

孔子说："尧这样的君主多么伟大！真高大啊！只有天最高大，只有尧才能仿效天的高大。尧的恩德多么广大啊！老百姓都不知道该用什么言辞来表达对他的称赞。尧造就的功绩多么高尚！尧制定的礼仪法度多么光辉！"

【原文】

舜有臣五人①而天下治。武王曰："予有乱臣②十人。"孔子曰："才难，不其然乎？唐、虞之际③，于斯④为盛。有妇人焉⑤，九人而已。三分天下有其二，以服事殷。周之德，其可谓至德也已矣。"

【注释】

①五人：传说是指禹、稷、契、皋陶、伯益。②乱臣：此处应为"治国之臣"。③唐、虞之际：传说尧曾封于唐，舜曾封于虞。④斯：指周武王时期。⑤有妇人焉：指武王的"乱臣"中有武王之母太姒。

【译文】

舜拥有五位贤臣而使天下太平。周武王说："我有十位帮助我治理国家的臣子。"孔子说："人才难得，不是吗？在唐尧与虞舜时期及周武王时期，人才是最多的了。但十位大臣当中有一位是妇女，事实上仅仅有九个人而已。周文王虽然得了天下的三分之二，却仍然侍奉殷朝天子。周朝的德可以说达到最高境界了。”

【原文】

子曰：“禹，吾无间①然矣。菲②饮食而致③孝乎鬼神；恶衣服而致美乎黻冕④；卑⑤宫室而尽力乎沟洫⑥。禹，吾无间然矣。”

【注释】

①间：非议。②菲：不丰厚。③致：致力于。④黻冕（fú miǎn）：祭祀时穿的礼服叫黻，祭祀时戴的帽子叫冕。⑤卑：低矮。⑥沟洫：沟渠。

【译文】

孔子说：“对于禹，我实在没有可非议的了。他的饮食简单，但诚心祭祀鬼神；他平时穿的衣服简朴无华，但祭祀时穿得讲究华美；他住的宫室低矮简陋，却致力于修治水利。对于禹，我确实无可非议了。”

子罕篇第九

《子罕》共包括三十一章，主要讲述孔子的道德教育思想，孔子弟子们对老师的看法，还记述了孔子的某些活动。

【原文】

子罕①言利，与②命，与仁。

【注释】

①罕：稀少。②与：赞同。

【译文】

孔子很少谈论利益，却赞同天命与仁德。

【原文】

达巷党①人曰："大哉孔子！博学而无所成名②。"子闻之，谓门弟子曰："吾何执？执御乎？执射乎？吾执御矣。"

【注释】

①巷党：里巷。②无所成名：不能以某一方面来称赞。

【译文】

达巷这个地方的人说："孔子真伟大啊！他学问渊博，不能称赞他在某一方面有专长。"孔子听了，对弟子们说："我要做什么呢？驾车？射箭？我看还是驾车吧。"

【原文】

子曰："麻冕①，礼也；今也纯②，俭③，吾从众。拜下④，礼也；今拜乎上，泰⑤也。虽违众，吾从下。"

【注释】

①麻冕：麻布制成的礼帽。②纯：黑色的丝。③俭：俭省。④拜下：大臣面见君主前，先在堂下跪拜，再到堂上跪拜。⑤泰：骄纵，傲慢。

【译文】

孔子说："用麻布制作的礼帽，符合礼的要求；如今大家都用黑丝制作，比过去还俭省，我很赞成大家的做法。大臣面见君主，要先在堂下跪拜，这符合礼仪规范；如今大家都在堂上跪拜，这就是骄纵的体现。虽然违背大家的做法，但我依然主张在堂下跪拜。"

【原文】

子绝四：毋意①，毋必②，毋固③，毋我④。

【注释】

①意：凭空猜想。②必：不知变通。③固：固执己见。④我：主观武断。

【译文】

孔子杜绝四种毛病：不凭空猜疑，不失于变通，不固执己见，不主观武断。

【原文】

子畏[1]于匡[2]，曰："文王[3]既没，文不在兹[4]乎？天之将丧斯文也，后死者[5]不得与[6]于斯文也；天之未丧斯文也，匡人其如予何[7]？"

【注释】

①畏：围困。②匡：地名。③文王：周文王，姓姬，名昌，西周开国之君周武王的父亲。④兹：指孔子。⑤后死者：指孔子。⑥与：接触到。⑦如予何：把我怎么样。

【译文】

孔子被围困在匡时，说："周文王死后，周代的礼乐不都体现在我身上吗？如果上天想消灭它，那我不可能接触到它；如果上天不想消灭它，那么匡人又能把我怎么样呢？"

【原文】

太宰[1]问于子贡曰："夫子圣者与？何其多能也？"子贡曰："固天纵[2]之将圣，又多能也。"

子闻之，曰："太宰知我乎！吾少也贱，故多能鄙事[3]。君子多乎哉？不多也。"

【注释】

①太宰：官名，掌管国君宫廷事务。②纵：让，使。③鄙事：卑贱的技艺。

【译文】

太宰问子贡："孔子是圣人吧？他为什么如此多才多艺？"子贡说："本来就是上天让他成为圣人，使他多才多艺的。"

孔子听后说："太宰了解我啊？我少年时地位低贱，所以学会许多卑贱的技艺。君子会有这么多的技艺吗？不会的。"

【原文】

牢[1]曰："子云，'吾不试[2]，故艺'。"

【注释】

①牢：姓琴，名牢，字子开，孔子的学生。②试：被任用。

【译文】

子牢说："孔子说过，'我年轻时没有被任用，所以才会许多技艺'。"

【原文】

子曰："吾有知乎哉？无知也。有鄙夫[①]问于我，空空如也[②]。我叩[③]其两端[④]而竭[⑤]焉。"

【注释】

①鄙夫：乡下人或社会下层的人。②空空如也：诚恳的样子。空空，通"悾悾"。③叩：询问。④两端：事物的两极。⑤竭：穷尽。

【译文】

孔子说："我有知识吗？没有知识啊。有个乡下人向我询问，非常诚恳的样子。我从那个问题的首尾两端去向他询问，才得以穷尽事物的全部面貌让他明白。"

【原文】

子曰："凤鸟[①]不至，河不出图[②]，吾已矣夫！"

【注释】

①凤鸟：古代传说中的神鸟，雄为凤，雌为皇（凰）。②河不出图：传说在上古伏羲氏时代，黄河中有龙马背负八卦图而出。后以"河出图"象征盛世将至。

【译文】

孔子说："凤凰不来，黄河中也不出现八卦图，我这一生就算完了！"

【原文】

子见齐衰[①]者、冕衣裳[②]者与瞽[③]者，见之，虽少，必作[④]；过之，必趋[⑤]。

【注释】

①齐衰（zī cuī）：丧服。②冕衣裳：穿戴着礼帽礼服。冕，礼帽。衣裳，上衣为衣，下衣为裳，这里合指礼服。③瞽：盲。④作：站起来。表示恭敬。⑤趋：快步走。表示恭敬。

【译文】

孔子遇见穿丧服的人、穿戴礼帽礼服的人以及盲人，见到他们时，虽然他们年轻，他也要站起来；经过他们时，一定快步走过。

【原文】

颜渊喟①然叹曰：“仰之弥②高，钻③之弥坚。瞻④之在前，忽焉在后。夫子循循然⑤善诱⑥人，博我以文，约我以礼，欲罢不能。即竭吾才，如有所立卓尔⑦。虽欲从之，末由⑧也已！”

【注释】

①喟：叹息。②弥：越发。③钻：钻研。④瞻：视，看。⑤循循然：有次序的样子。⑥诱：劝导，引导。⑦卓尔：高大，超群。⑧末由：没有办法。

【译文】

颜渊感叹地说：“老师的学问与道德，我抬头仰望，越望越觉得高深；我努力钻研，越钻研越觉得不能穷尽。明明看起来是在前面，忽然又在后面。老师善于一步步引导我，用文献典籍开阔我的视野，用礼仪制度约束我的言谈举止，让我想停止学习都不可能。直到我用尽全部才能，就像有个十分高大的东西立在我前面，我虽然想追随上去，但没有办法做到啊。”

【原文】

子疾病，子路使门人为臣①。病间②，曰：“久矣哉，由③之行诈也！无臣而为有臣，吾谁欺？欺天乎？且予与其死于臣之手也，无宁[4]死于二三子之手乎！且予纵不得大葬[5]，予死于道路乎？”

【注释】

①臣：指家臣、总管。这里专指治丧之臣。按当时礼制，诸侯、大夫才能设立治丧之臣，孔子此时并无官职，因此不赞同子路的做法，认为于礼不合。②病间：病情减轻。③由：仲由，即子路。孔子在谈到学生时多称其名。④无宁：宁可。⑤大葬：指大夫规格的葬礼。

【译文】

孔子病重，子路让孔子的弟子假装家臣，充当治丧之臣。孔子的病好转了，他说：“仲由做这种弄虚作假的事很久了啊！我不该有治丧之臣而为我设立，是要欺骗谁呢？欺骗上天吗？况且与其在家臣的侍候下死去，还不如在弟子们的侍候下死去啊！即使我不能以大夫之礼来安葬，难道会被丢在路边没人埋葬吗？”

【原文】

子贡曰：“有美玉于斯，韫椟[1]而藏诸？求善贾[2]而沽[3]诸？”子曰：“沽之哉！沽之哉！我待贾者也！”

【注释】

①韫（yùn）椟：收藏物件的柜子。②善贾：识货的商人。③沽：卖。

【译文】

子贡说：“有一块美玉在这里，是把它收藏在柜子里呢？还是找一个识货的商人卖掉呢？”孔子说：“卖掉它！卖掉它！我正在等着识货的人啊！”

【原文】

子欲居九夷[1]。或曰：“陋，如之何？”子曰：“君子居之，何陋[2]之有？”

【注释】

①九夷：古代对东方落后部族的通称。②陋：不开化。

【译文】

孔子想要搬到九夷之地去住。有人说:“那里非常不开化,怎么能去呢?”孔子说:“有君子居住在那里,怎么会闭塞落后呢?”

【原文】

子曰:“吾自卫反鲁①,然后乐正②,《雅》《颂》③各得其所。”

【注释】

①自卫反鲁:公元前484年冬,孔子从卫国返回鲁国。反,通“返”。②乐正:调整乐曲的篇章。③《雅》《颂》:指《雅》乐、《颂》乐等乐曲名类。

【译文】

孔子说:“我从卫国回到鲁国后,才开始整理乐曲的篇章,《雅》乐及《颂》乐各有适当的安排。”

【原文】

子曰:“出则事公卿,入则事父兄,丧事不敢不勉,不为酒困,何有于我哉?”

【译文】

孔子说:“在外就侍奉公卿,在家则伺候父母兄弟,有丧事不敢不竭尽全力去办,不为酒所困,这些事对我来说有什么难度呢?”

【原文】

子在川上曰:“逝者如斯夫!不舍昼夜。”

【译文】

孔子站在河边说:“逝去的时光如同这河水一般!不分昼夜地向前奔流而去。”

【原文】

子曰:“吾未见好德如好色者也。”

【译文】

孔子说："我没有见过如好色那般好德的人。"

【原文】

子曰："譬如为山，未成一篑[1]，止，吾止也！譬如平地，虽覆一篑，进，吾往也！"

【注释】

①篑（kuì）：用来装土的竹筐。

【译文】

孔子说："比如用土堆山，只差一筐土就完工了，这时停下来，是因为我要停下来！比如在平地上堆山，虽然只倒下第一筐，这时继续前进，那也是我要前进的！"

【原文】

子曰："语之而不惰者，其回也与！"

【译文】

孔子说："与他谈论学问而毫不懈怠，只有颜回一个人！"

【原文】

子谓颜渊，曰："惜乎，吾见其进也，未见其止也。"

【译文】

孔子评价颜渊说："惋惜呀！我只见他不断前进，没有见他停止过。"

【原文】

子曰："苗而不秀[1]者有矣夫！秀而不实者有矣夫！"

【注释】

①秀：稻、麦等庄稼吐穗扬花。

【译文】

孔子说："庄稼出了苗却不能吐穗扬花的情况是有的！吐穗扬花却不结果实的情况也是有的！"

【原文】

子曰："后生可畏，焉知来者之不如今也？四十、五十而无闻焉，斯亦不足畏也已！"

【译文】

孔子说："青年人真是值得敬畏啊，谁说后一代就不如前一代呢？要是到了四五十岁时还默默无闻，这也就没有什么可敬畏的了！"

【原文】

子曰："法①语之言，能无从乎？改之为贵。巽②与③之言，能无说乎？绎之为贵。说④而不绎⑤，从而不改，吾末⑥如之何也已矣！"

【注释】

①法：指礼仪规则。②巽：恭顺，谦逊。③与：称许，赞许。④说：同"悦"。⑤绎：推究，分析。⑥末：没有。

【译文】

孔子说："符合礼仪规则的规劝，谁能不听从？可只有按照它来改正错误才是可贵的。恭顺赞许的话，谁听了会不高兴？可只有认真推究它的真伪是非才是可贵的。仅为高兴而不加分析，只是听从却不改正错误，对这样的人，我实在没办法！"

【原文】

子曰："主忠信①，毋友不如己①者，过②则勿惮③改。"

【注释】

①主忠信：以忠信为主。②不如己：不如自己。③过：过错。④惮：畏惧。

【译文】

孔子说："以忠信为主，不要同不如自己的人交朋友，有了过错就不要怕改正。"

【原文】

子曰:“三军①可夺帅也,匹夫②不可夺志也。”

【注释】

①三军:指军队。②匹夫:指平民百姓。

【译文】

孔子说:“一国军队可以被夺去它的主帅,但一个普通人的志向是不能被改变的。”

【原文】

子曰:“衣①敝②缊③袍,与衣狐貉④者立,而不耻者,其由也与!‘不忮⑤不求,何用不臧⑥?’”子路终身诵之。子曰:“是道也,何足以臧?”

【注释】

①衣:作动词,穿。②敝:坏。③缊(yùn):旧的丝棉絮。④狐貉:用狐和貉的皮做的裘皮衣服。⑤忮(zhì):嫉恨。⑥臧:善,好。

【译文】

孔子说:“穿着破损的丝棉袍,与穿着狐貉皮袍的人站在一起而不感到可耻,大概只有仲由吧!《诗经》上说:‘不嫉妒,不贪求,如何说不好呢?’”子路听后,反复背诵这句诗。孔子又说:“只做到这样,如何能说是好呢?”

【原文】

子曰:“岁寒,然后知松柏之后凋也。”

【译文】

孔子说:“寒冬到了,才知道松柏是最后凋零的。”

【原文】

子曰:“知者不惑,仁者不忧,勇者不惧。”

【译文】

孔子说:“智慧之人不会迷惑,仁德之人不会忧愁,勇敢之人不会畏惧。”

【原文】

子曰：“可与共学，未可与适道①；可与适道，未可与立②；可与立，未可与权③。”

【注释】

①适道：到达道的境界。②立：立身行事，与“三十而立”中的“立”所指一致。③权：这里引申为权衡。

【译文】

孔子说：“可以一并学习的人，未必能一起到达道的境界；能一起到达道的境界的人，未必能一同立身行事；能一同立身行事的人，未必能一起权衡形势而灵活变通。”

【原文】

“唐棣①之华，偏其反而②。岂不尔思？室是远而③。”子曰：“未之思也，夫何远之有？”

【注释】

①唐棣：一种植物。②偏其反而：形容花摇动貌。③室是远而：只是你住的地方太远了。

【译文】

古诗说：“唐棣的花朵，翩翩地摇摆。我岂能不思念你？只是你住的地方太远了。”孔子说：“他还是没有真的想念，如果真的想念，哪有什么遥远的呢？”

乡党篇第十

《乡党》共二十七章，记录了孔子的容色言动、衣食住行，颂扬孔子是个言谈举止均符合礼的正人君子；同时，还记录了孔子的日常生活片段，为人们较全面地了解孔子、研究孔子提供了生动的生活素材。

【原文】

孔子于乡党，恂恂①如也，似不能言者。其在宗庙、朝廷，便便②言，唯谨尔。

【注释】

①恂恂：温和恭顺。②便便：善于言辞。

【译文】

孔子在本乡显得非常温和恭顺，就像一个不会说话的人。但他在宗庙里及朝廷上十分善于言辞，只是说得比较谨慎而已。

【原文】

朝，与下大夫言，侃侃①如也；与上大夫言，訚訚②如也。君在，踧踖③如也，与与④如也。

【注释】

①侃侃：温和快乐的样子。②訚訚：正直恭谨的样子。③踧踖（cú jí）：恭敬而谨慎的样子。④与与：威仪适当的样子。

【译文】

孔子上朝时，与下大夫说话，显得温和快乐；同上大夫说话，显得正直恭谨；国君来了，是恭敬谨慎而威仪适当的样子。

【原文】

君召使摈①，色勃如也②，足躩③如也。揖所与立，左右手。衣前后，襜④如也。趋进，翼如也⑤。宾退，必复命曰：“宾不顾矣。”

【注释】

①摈（bìn）：招待宾客。②色勃如也：脸色立即庄重起来。③足

躩：脚步快的样子。④襜（chān）：整齐的样子。⑤翼如也：像鸟儿展翅一样。

【译文】

国君要孔子去招待宾客，孔子的脸色立即庄重起来，脚步也快起来。他向和他站在一起的人作揖，向左或向右拱手。作揖时衣服前后摆动，却整齐不乱。快步走时，像鸟展开双翅一样。宾客走后，他必定向国君汇报："客人已不回头张望了。"

【原文】

入公门，鞠躬如①也，如不容。立不中门，行不履阈②。过位，色勃如也，足躩如也，其言似不足者。摄齐③升堂，鞠躬如也，屏气似不息者。出，降一等④，逞⑤颜色，怡怡如也。没阶⑥，趋进，翼如也。复其位，踧踖如也。

【注释】

①鞠躬如：谨慎恭敬的样子。②履阈：脚踩门槛。③摄齐：提起衣服的下摆。④降一等：从台阶上走下一级。⑤逞：舒展开。⑥没阶：走完台阶。

【译文】

孔子走进朝廷大门，谨慎而恭敬，就像没有他的容身之地一般。他不站在门的中间，也不踩踏门槛。经过国君座位时，脸色庄重严肃，脚步也快起来，说话似乎中气不足一般。他提起衣服下摆向堂上走，恭敬而谨慎，憋住气好像不呼吸一般。退出来，走下台阶一级，脸色便舒展开，一副怡然自得的神态。走完台阶，快乐向前走，他的姿态就像鸟儿展翅一般。回到自己的位置，又显出恭敬而谨慎的样子。

【原文】

执圭①，鞠躬如也，如不胜。上如揖，下如授。勃如战色②，足蹜蹜③如有循④。享礼⑤，有容色。私觌⑥，愉愉如也。

【注释】

①圭：一种上圆下方的玉器。②战色：战战兢兢的样子。③蹜蹜：小步走路的样子。④循：沿着。⑤享礼：指向对方呈献礼物的仪式。⑥觌（dí）：会见。

【译文】

孔子出使其他诸侯国时，拿着圭，恭敬谨慎就像举不起来。向上举时好像在作揖，放在下面时好像是给人递东西。脸色庄重，战战兢兢，迈步很小，好像沿着直线往前走。举行向对方呈献礼物的仪式时，显出和颜悦色的样子。和国君私下会见时，则显出轻松愉快的样子。

【原文】

君子不以绀緅饰[①]，红紫不以为亵服[②]。当暑，袗絺绤[③]，必表而出之[④]。缁衣[⑤]，羔裘[⑥]；素衣，麑裘；黄衣，狐裘。亵裘长，短右袂。必有寝衣[⑦]，长一身有半。狐貉之厚[⑧]以居。去丧，无所不佩。非帷裳，必杀之[⑨]。羔裘玄冠不以吊[⑩]。吉月，必朝服而朝。

【注释】

①不以绀緅饰：不以深青透红或黑中透红的布给平常穿的衣服镶边作为饰物。绀，深青透红的颜色。緅，黑中透红的颜色。绀、緅两色接近黑色，在古代，黑色多用于正式礼服，是非常尊贵的，因而不用于镶边。下文说到不用红、紫色制作居家衣物也是出于相似理由。②亵服：平时在家里穿的衣服。③袗絺绤：指穿着粗的或细的葛布单衣。④必表而出之：把单衣穿在外面，里面要衬有内衣。⑤缁衣：黑色的衣服。⑥羔裘：羔皮衣。⑦寝衣：指被子。⑧狐貉之厚：厚毛的狐貉皮。⑨必杀之：一定要裁去多余的布。⑩不以吊：不用于丧事。

【译文】

君子的衣服不用深青透红或黑中透红的布镶边，也不用红色或紫色的布制作家居服。夏日里穿粗或细的葛布单衣，但必须套在内衣外面。黑色的羔羊皮袍，配黑色的罩衣；白色的鹿皮袍，配白色的罩衣；黄色的狐皮袍，配黄色的罩衣。日常在家穿的皮袍要做得长一些，右边的袖子可以短一些。睡觉时一定要有被子，长度为一身半。用狐貉的厚毛皮做坐垫。服丧期满脱下丧服后，再佩戴各式各样的装饰物。如果不是制作礼服，就一定要加以剪裁。不穿黑色的羔羊皮袍、不戴黑色的帽子去吊丧。每月初一，一定要穿着礼服去朝拜君主。

【原文】

齐①，必有明衣②，布。齐必变食③，居必迁坐④。

【注释】

①齐：同“斋”。②明衣：斋前沐浴后穿的浴衣。③变食：改变平常的饮食。④居必迁坐：指从内室迁到外室居住，不和妻妾同房。

【译文】

斋戒沐浴时，一定要有用布做的浴衣。斋戒时，一定改变平常的饮食，从原来居住的地方搬出，不与妻妾同房。

【原文】

食不厌精，脍①不厌细。食饐②而餲③，鱼馁④而肉败⑤，不食。色恶，不食。臭恶，不食。失饪⑥，不食。不时，不食。割不正⑦，不食。不得其酱，不食。肉虽多，不使胜食气⑧。唯酒无量，不及乱⑨。沽酒市脯⑩，不食。不撤姜食，不多食。

【注释】

①脍（kuài）：切细的鱼、肉。②饐（yì）：食物放置时间过长。③餲（ài）：变味。④馁：这里指鱼不新鲜。⑤败：这里指肉不新鲜。⑥饪：烹调制作饭菜。⑦割不正：肉切得不方正。⑧气：通“饩”，即粮食。⑨不及乱：不到酒醉时。⑩脯：熟肉干。

【译文】

粮食不嫌舂得精，鱼和肉不嫌切得细。久放变味的粮食、腐烂的鱼和肉都不吃。变了颜色，不吃。气味变了，不吃。烹调不当，也不吃。不是新的东西，不吃。肉切得不方正，不吃。佐料放得不适当，不吃。虽然席上有很多肉，但吃肉的量不超过吃米的量。只有酒不受限制，但不可喝醉。从市集上买来的肉干和酒，不吃。姜不撤离席上，但也不多吃。

【原文】

祭于公，不宿肉①。祭肉②不出三日。出三日，不食之矣。

【注释】

①不宿肉：不使肉过夜。②祭肉：祭祀用的肉。

【译文】

参加国君祭祀典礼时分到的肉，不留到第二天。祭祀用过的肉存留不超过三天。超过三天，就不吃它了。

【原文】

食不语，寝不言。

【译文】

吃饭时不说话，睡觉时不说话。

【原文】

虽疏食菜羹①，瓜祭②，必齐如也。

【注释】

①菜羹：用菜做成的汤。②瓜祭：有些本子又作“必祭”。古人在吃饭前，把席上各种食品分出少许，放在食具之间祭祖。

【译文】

虽然是粗茶淡饭，饭前也要取出一些来祭祖，而且就像斋戒时一样。

【原文】

席①不正，不坐。

【注释】

①席：铺于地面的席子。

【译文】

席子放得不端正，不坐。

【原文】

乡人饮酒[①]，杖者[②]出，斯出矣。

【注释】

①乡人饮酒：指当时的乡饮酒礼。②杖者：指老年人。

【译文】

乡饮酒礼结束后，一定等老年人出去了，自己才出去。

【原文】

乡人傩[①]，朝服而立于阼阶[②]。

【注释】

①傩（nuó）：古代迎神驱鬼的仪式。②阼阶（zuò）：东面的台阶。

【译文】

乡人举办迎神驱鬼的仪式时，总是穿着朝服站在东边的台阶上。

【原文】

问[①]人于他邦，再拜而送之[②]。

【注释】

①问：问候。古人在问候时往往要送礼物。②再拜而送之：送别客人时，两次拜别。

【译文】

托人向在其他诸侯国的朋友问候送礼，则向受托者拜谢两次为他送行。

【原文】

康子馈药，拜而受之。曰："丘未达，不敢尝。"

【译文】

季康子给孔子送药，孔子拜谢后接受了。但他说："我对药性不了解，不敢吃。"

【原文】

厩焚。子退朝，曰："伤人乎？"不问马。

【译文】

马棚失火。孔子退朝回来，说："有人受伤吗？"他不问马的情况如何。

【原文】

君赐食，必正席先尝之；君赐腥①，必熟而荐②之；君赐生，必畜之。侍食于君，君祭，先饭。

【注释】

①腥：牛肉。②荐：供奉。

【译文】

国君赐予熟食，一定要摆正座席先尝尝；国君赐予生肉，一定煮熟了先给祖宗上供；国君赐予活物，一定会饲养起来。同国君吃饭，在国君举行饭前祭礼时，先吃米饭（不吃菜）。

【原文】

疾，君视之，东首①，加朝服，拖绅②。

【注释】

①东首：头朝东。②绅：束在腰间的大带子。

【译文】

孔子患病，国君前来探望，他便头朝东躺着，身上盖着朝服，拖着大带子。

【原文】

君命召，不俟驾行矣。

【译文】

国君召见孔子，他不等车马驾好就先步行走了。

【原文】

入太庙，每事问。

【译文】

孔子到了太庙，每件事都要问问。

【原文】

朋友①死，无所归。曰："于我殡②。"

【注释】

①朋友：指与孔子志同道合的人。②殡：这里泛指丧葬事务。

【译文】

孔子的朋友死了，没有亲属为其收敛。孔子说："由我来办丧事吧。"

【原文】

朋友之馈，虽车马，非祭肉，不拜。

【译文】

朋友馈赠物品，只要不是祭肉，即使是车马，孔子在接受时也是不跪拜的。

【原文】

寝不尸，居不客。

【译文】

孔子睡觉时不像死尸一样直挺着，平日居家也不像做客或接待客人那样恭敬。

【原文】

见齐衰①者，虽狎②，必变。见冕者与瞽者③，虽亵④，必以貌。凶服⑤者式之。式负版者⑥。有盛馔⑦，必变色而作⑧。迅雷风烈，必变。

【注释】

①齐衰：指丧服。②狎：亲近。③瞽者：盲人。④亵：常见，熟悉。

⑤凶服：丧服。⑥负版者：背负国家图籍的人。⑦盛馔：盛大的宴席。⑧作：站起来。

【译文】

孔子见到穿丧服的人，即使和他关系很亲密，也一定态度变得庄重。看见穿戴礼帽礼服的人或是盲人，即使经常相处，也一定有礼。乘车时遇见穿丧服的人，便伏在车前横木上，表示同情。遇见背负国家图籍的人，也这样做，以示敬意。做客时若是有丰盛的宴席，就神色变得端庄而站起来致谢。遇见雷电大风，他一定改变神色，以彰显对苍天的敬畏。

【原文】

升车，必正立，执绥[①]。车中不内顾[②]，不疾言[③]，不亲指[④]。

【注释】

①绥：扶手带。②内顾：回头看。③疾言：快速说话。④不亲指：不用手指指点点。

【译文】

上车时一定先直立站好，然后拉着扶手带上车。坐在车中不回头看，不快速说话，不用手指指点点。

【原文】

色[①]斯举[②]矣，翔而后集[③]。曰："山梁雌雉[④]，时哉[⑤]！时哉！"子路共[⑥]之，三嗅而作[⑦]。

【注释】

①色：脸色。②举：指鸟飞起来。③翔而后集：飞翔一阵，然后落到树上。④山梁雌雉：聚集在山梁上的野母鸡。⑤时哉：得其时呀。⑥共：通"拱"。⑦三嗅而作：振了振翅膀就飞走了。嗅，通"狊（jú）"，张开双翅的样子。

【译文】

孔子行走在山谷中，看见一群野鸡，他的脸色变了一下，野鸡便飞了起来，飞翔一阵之后聚集在树上。孔子说："这些山梁上的母野鸡，得其时呀！得其时呀！"子路向它们拱拱手，野鸡振了振翅膀便飞走了。

先进篇第十一

《先进》共有二十六章，包括孔子对其学生的评价，以此为例来阐释"过犹不及"的中庸思想。此外还包括学习知识与日后做官之间的联系，孔子对待鬼神、生死问题的态度，和他的学生们各述其志向则反映出他的政治思想倾向。

【原文】

子曰："先进于礼乐①，野人②也；后进于礼乐③，君子④也。如用之，则吾从先进。"

【注释】

①先进于礼乐：先学礼乐后做官的人。②野人：指乡野平民。③后进于礼乐：先做官后学礼乐的人。④君子：此处与"野人"对应。指生于贵胄之家，受父兄荫庇的权贵子弟。

【译文】

孔子说："先学礼乐后做官的人，是没有爵禄的乡野平民；先当官后学礼乐的人，是权贵子弟。若要选用人才，那我主张选用先学礼乐的人。"

【原文】

子曰："从我于陈、蔡①者，皆不及门②也。"

【注释】

①陈、蔡：春秋时期国名。孔子及其学生曾受困于陈国与蔡国之间。

②不及门：不在跟前受教。

【译文】

孔子说："曾经随我从陈国到蔡国去的学生们，如今都不在我的跟前受教了。"

【原文】

德行①：颜渊，闵子骞，冉伯牛，仲弓；言语②：宰我，子贡；政事③：冉有，季路；文学④：子游，子夏。

【注释】

①德行：指能实行孝悌、忠恕等道德。②言语：指擅长辞令。③政事：指能从事政治事务。④文学：指通晓诗书礼乐等古典文献。

【译文】

德行好的有：颜渊、闵子骞、冉伯牛、仲弓；擅长言辞表达的有：宰我、子贡；精于政事的有：冉有、季路；通晓古典文献的有：子游、子夏。

【原文】

子曰："回也非助我者也！于吾言无所不说。"

【译文】

孔子说："颜回并不是可以帮助我的人！他对我说的话没有不心悦诚服的。"

【原文】

子曰："孝哉闵子骞！人不间①于其父母昆②弟之言。"

【注释】

①间：非议。②昆：兄长。

【译文】

孔子说："闵子骞真孝顺呀！大家对于他的父母兄弟称赞他的话，都没有什么非议。"

【原文】

南容三复白圭①，孔子以其兄之子妻之。

【注释】

①白圭：指《诗经·大雅·抑》的“白圭之玷，尚可磨也；斯言不玷，不可为也”几句，用于告诫人们要谨慎个人言语。

【译文】

南容反复多次诵读“白圭之玷，尚可磨也；斯言不玷，不可为也”这一诗句，孔子把侄女嫁给了他。

【原文】

季康子问：“弟子孰为好学？”孔子对曰：“有颜回者好学，不幸短命死矣！今也则亡。”

【译文】

季康子问孔子：“你的学生中谁是好学的呢？”孔子回答说：“有个叫颜回的学生很好学，可惜短命死去了。如今没有像他那样的学生了。”

【原文】

颜渊死，颜路[①]请子之车以为之椁[②]。子曰：“才不才，亦各言其子也。鲤[③]也死，有棺而无椁。吾不徒行以为之椁，以吾从大夫之后[④]，不可徒行也。”

【注释】

①颜路：颜渊的父亲，名无繇，字路，也是孔子的学生。②椁：古人所用棺材，内为棺，外为椁。③鲤：孔子的儿子，名鲤，字伯鱼。④从大夫之后：跟从在大夫行列后。这是孔子对自己当过大夫一事的谦逊说法。

【译文】

颜渊死后，其父颜路请求孔子卖掉车子，好给颜渊买个外椁。孔子说：“不管有才还是无才，也是自己的儿子。孔鲤死时也是有棺无椁的。我没有卖掉车子给他买椁，是因为我曾担任大夫之职，不可步行。”

【原文】

颜渊死。子曰：“噫！天丧予！天丧予！”

【译文】

颜渊死了。孔子说："唉！天要亡我啊！天要亡我啊！"

【原文】

颜渊死，子哭之恸[1]。从者曰："子恸矣。"曰："有恸乎？非夫[2]人之为恸而谁为！"

【注释】

①恸：过于悲痛。②夫：此处指颜渊。

【译文】

颜渊死后，孔子哭得非常悲伤。跟随孔子的人说："您悲痛过度了。"孔子说："有悲伤过度吗？我不为那人悲伤过度，又能为谁啊！"

【原文】

颜渊死，门人欲厚葬[1]之，子曰："不可。"门人厚葬之。子曰："回也，视予犹父也，予不得视犹子也[2]。非我也，夫[3]二三子也。"

【注释】

①厚葬：隆重地安葬。②不得视犹子也：不能把他当作亲生儿子看待。③夫：语助词。

【译文】

颜渊死了，孔子的学生们想隆重地安葬他，孔子说："不可以。"学生们仍隆重地安葬了他。孔子说："颜回把我当父亲看待，我却不能把他当亲生儿子看待。这并不是我的过错，是那些学生干的啊。"

【原文】

季路问事鬼神。子曰："未能事人，焉能事鬼？"曰："敢问死。"曰："未知生，焉知死？"

【译文】

季路问孔子如何侍奉鬼神。孔子说："人都没有侍奉好，又怎能侍奉鬼神呢？”季路说：“我冒昧地请问死是怎么回事。”孔子说：“不知道生的道理，又怎能知道死呢？”

【原文】

闵子侍侧，訚訚①如也；子路，行行②如也；冉有、子贡，侃侃如也。子乐。“若由也，不得其死然。”

【注释】

①訚訚：正直恭谨的样子。②行行（hàng）：刚强的样子。

【译文】

闵子骞站立在孔子身旁，一脸正直恭谨的样子；子路则是一种刚强的样子；冉有、子贡是温和快乐的样子。孔子很高兴。但孔子又说：“像仲由这样，只怕不能死得其所吧。”

【原文】

鲁人①为②长府③。闵子骞曰：“仍旧贯④，如之何？何必改作？”子曰：“夫人⑤不言，言必有中。”

【注释】

①鲁人：这里指鲁国当权者。②为：翻修。③长府：鲁国国库名。④仍旧贯：沿袭老样子。⑤夫人：这个人。

【译文】

鲁国翻修长府国库。闵子骞道：“照老样子下去，怎么样？为什么一定要改建啊？”孔子道：“这个人平日不大爱说话，但一说话就说到关键上。”

【原文】

子曰：“由之瑟①，奚②为③于丘之门？”门人不敬子路。子曰：“由也升堂④矣，未入于室也。”

【注释】

①瑟：一种与古琴相似的古乐器。②奚：为什么。③为：弹。④升堂：在“入室”之前，此处指学问到家之前的那个学习阶段。

【译文】

孔子说："仲由弹瑟，为什么要在我这里啊？"学生们因此都不尊敬子路了。孔子说："仲由这个人，在学习上已经很好了，只是学问还未到家而已。"

【原文】

子贡问："师①与商②也孰贤？"子曰："师也过，商也不及。"

曰："然则师愈③与？"子曰："过犹不及。"

【注释】

①师：颛孙师，即子张。②商：卜商，即子夏。③愈：胜过。

【译文】

子贡问孔子："颛孙师和卜商两个人谁更好呢？"孔子回答说："颛孙师有些过度，卜商有些及不上。"

子贡说："那是胜过卜商了？"孔子说："过度和不足是一样的。"

【原文】

季氏富于周公①，而求也为之聚敛②而附益③之。子曰："非吾徒也，小子鸣鼓而攻之，可也！"

【注释】

①富于周公：比周朝的公侯还富有。②聚敛：搜刮。③益：增加。

【译文】

季氏比周朝的公侯还要富裕，但冉求还帮他搜刮增加财富。孔子说："他不是我的学生，你们可轰轰烈烈地去攻击他！"

【原文】

柴①也愚②，参也鲁③，师也辟④，由也喭⑤。

【注释】

①柴：高柴，字子羔，孔子的学生。②愚：指愚笨而耿直。③鲁：

迟钝。④辟：偏激。⑤喭（yàn）：鲁莽。

【译文】

高柴愚直，曾参迟钝，颛孙师偏激，仲由鲁莽。

【原文】

子曰："回也其庶[1]乎！屡空[2]。赐不受命，而货殖[3]焉，亿[4]则屡中。"

【注释】

①庶：差不多，这里指颜回的学问道德接近于完美。②空：匮乏。③货殖：做买卖。④亿：通"臆"，猜测。

【译文】

孔子说："颜回的学问和道德都近乎完美了吧！但他时常贫困。端木赐不安于命运的安排去做买卖，猜测行情却常常准确。"

【原文】

子张问善人[1]之道。子曰："不践迹[2]，亦不入于室。"

【注释】

①善人：本质善良却没有学习过的人。②践迹：踩着前人的脚印走。

【译文】

子张问怎么样才是善人。孔子说："善人不顺着前人的脚步走，其学问修养也难以到家。"

【原文】

子曰："论[1]笃[2]是与[3]，君子者乎？色庄者乎？"

【注释】

①论：言论。②笃：诚恳。③与：赞许。

【译文】

孔子说："听到有人讨论笃实诚恳要表示赞许，但更应看他是真正的君子呢？还是伪装成庄重的人呢？”

【原文】

子路问：“闻斯行诸[①]？”子曰：“有父兄在，如之何其闻斯行之？”冉有问：“闻斯行诸？”子曰：“闻斯行之！”

公西华曰：“由也问闻斯行诸，子曰‘有父兄在’；求也问闻斯行诸，子曰‘闻斯行之’。赤也惑，敢问。”子曰：“求也退，故进之；由也兼人[②]，故退之。”

【注释】

①诸：“之乎”两字的合音。②兼人：好勇过人。

【译文】

子路问：“听到了就马上行动吗？”孔子说：“有父兄健在，怎能听到就马上行动呢？”冉有问：“听到了就马上行动吗？”孔子说：“听到了就马上行动！”

公西华说：“仲由问听到了就马上行动吗，您回答说‘有父兄健在’；冉求问听到了就马上行动吗，您回答‘听到了就马上行动’。我糊涂了，冒昧想问个明白。”孔子说：“冉求总是退缩，所以我鼓励他；仲由勇敢莽撞，所以我要约束他。”

【原文】

子畏于匡，颜渊后。子曰：“吾以女为死矣。”曰：“子在，回何敢死？”

【译文】

孔子在匡地受到围困，颜渊最后才逃了出来。孔子说：“我以为你已经死了啊。”颜渊说：“夫子您还活着，我怎么敢死啊？”

【原文】

季子然[①]问：“仲由、冉求可谓大臣与？”子曰：“吾以子为异之问，曾[②]由与求之问。所谓大臣者，以道事君，不可则止。今由与求也，可谓具臣[3]矣。”曰：“然则从之[4]者与？”子曰：“弑父与君，亦不从也。”

【注释】

①季子然：鲁国季氏的同族人。②曾：乃。③具臣：具有才干的臣子。④之：这里指季氏。

【译文】

季子然问：“仲由与冉求可以称为大臣吗？”孔子说：“我以为你要问别人，原来问的是仲由与冉求啊。所谓大臣，就是能按周公之道的要求来侍奉君主，如果这样行不通，他就辞职不干。现在仲由与冉求这两个人算是具有才干的臣子而已。”季子然说：“那他们会一切都跟着季氏做吗？”孔子说：“弑父弑君的事，他们也不会跟着做的。”

【原文】

子路使子羔为费宰。子曰：“贼[1]夫人之子[2]。”子路曰：“有民人焉，有社[3]稷[4]焉，何必读书，然后为学？”子曰：“是故恶夫佞者。”

【注释】

①贼：害。②人之子：指子羔。③社：土地神。④稷：谷神。

【译文】

子路让子羔去费地做长官。孔子说：“这是害人子弟。”子路说：“那个地方有百姓社稷，难道一定要读书才算学习吗？”孔子说：“所以我讨厌那花言巧语狡辩的人。”

【原文】

子路、曾皙[1]、冉有、公西华侍坐。子曰：“以吾一日长乎尔，毋吾以也！居[2]则曰：‘不吾知也！’如或知尔，则何以[3]哉？”子路率尔[4]而对曰：“千乘之国，摄[5]乎大国之间，加之以师旅，因之以饥馑，由也为之，比及三年，可使有勇，且知方[6]也。”夫子哂之。“求，尔何如？”对曰：“方六七十[7]，如五六十，求也为之，比及三年，可使足民。如其礼乐，以俟君子。”“赤，尔何如？”对曰：“非曰能之，愿学焉。宗庙之事[8]，如会同[9]，端[10]章甫[11]，愿为小相[12]焉。”“点，尔何如？”鼓瑟希[13]，铿尔，舍瑟而作[14]。对曰：“异乎三子者之撰！”子曰：“何伤乎？亦各言其志也。”曰：“莫[15]春者，春服既成，冠者[16]五六人，童子六七人，浴乎沂[17]，风乎舞雩[18]，咏而归。”夫子喟然叹曰：“吾与点也。”三子者出，曾皙后。曾皙曰：“夫三子者之言何如？”子曰：“亦各言其志也已矣。”曰：“夫子何哂由也？”曰：“为国以礼，其言不让，是故哂之。”“唯求则非邦也与？”“安见方六七十如五六十而非邦也者？”“唯赤则非邦也与？”“宗庙会同，非诸侯而何？赤也为之小，孰能为之大？”

【注释】

①曾皙：名点，字子皙，曾参的父亲，孔子的学生。②居：平日。③何以：即何以为用。④率尔：轻率。⑤摄：夹处。⑥方：方向。引申为准则，即孔子所推崇的礼。⑦方六七十：纵横各六七十里。⑧宗庙之事：指祭祀之事。⑨会同：诸侯会见。⑩端：古代礼服的名称。⑪章甫：古代礼帽的名称。⑫相：司仪。⑬希：同“稀”。⑭作：站起来。⑮莫：同“暮”。⑯冠者：成年人。⑰浴乎沂：在水边洗头面手足。⑱舞雩：地名，原是祭天求雨的地方。

【译文】

子路、曾皙、冉有、公西华四个人陪着孔子坐着。孔子说：“我年龄虽比你们大一些，但不要因我岁数大就不敢说。你们平时总说：‘没人了解我呀！’假设有人了解你们，那你们打算如何去做呢？”子路忙回答说：“如果让我治理一个拥有千辆兵车的国家，它夹在大国中间，时常受到别国的侵犯，国内又闹饥荒，我只需三年就可以使那里的人们勇敢善战，并且懂得礼仪。”孔子听了，微微一笑。孔子又问：“冉求，你怎样啊？”冉求答道：“如果让我治理一个国土六七十里或五六十里见方的侯国，三年后我可使百姓吃饱穿暖。但对于该国的礼乐教化，要等君子来了再施行。”孔子又问：“公西赤，你怎么样？”公西赤答道：“我不敢说能做到，但是愿意学习。在宗庙祭祀中或在同他国的会盟中，我愿意穿着礼服、戴着礼帽，做一个小小的司仪。”孔子又问：“曾点，你怎样啊？”这时曾点弹瑟的声音逐渐放缓，铿的一声结束，他站了起来，回答说：“我想的和他们三位说的都不一样。”孔子说：“那有什么关系啊？不过是大家讲讲自己的志向而已。”曾皙说：“暮春三月，穿上春天的衣服，我和几位成年人、几个少年去沂河洗澡，在舞雩台上吹风，一路唱着歌走回来。”孔子长叹说：“我赞成曾点的想法。”子路、冉有、公西华三个人出去了，曾皙最后走。他问孔子说：“他们三人的话怎么样？”孔子说：“也只是大家谈谈自己的志向而已。”曾皙说：“夫子为什么要笑仲由呢？”孔子说：“治理国家讲究礼让，可他说话一点也不谦让，因而我笑他。”曾皙又问：“那冉求讲的是不是治理国家呢？”孔子说：“哪里见得六七十里或五六十里见方的地方就不是国家啊？”曾皙又问：“公西赤讲的不是治理国家吗？”孔子说：“宗庙祭祀及诸侯会盟，这不是诸侯国的事又是什么呢？像赤这样的人如果只能做一个小司仪，那谁又能做大司仪啊？”

颜渊篇第十二

《颜渊》共计二十四章，内容主要涉及仁、礼、政事、用人、断狱、交友等诸多内容。

【原文】

颜渊问仁。子曰："克己[①]复礼[②]为仁。一日克己复礼，天下归[③]仁[④]焉。为仁由己，而由人乎哉？"颜渊曰："请问其目[⑤]。"子曰："非礼勿视，非礼勿听，非礼勿言，非礼勿动。"颜渊曰："回虽不敏，请事[⑥]斯语矣！"

【注释】

①克己：克制自己。②复礼：使自身的言行符合礼的规范。③归：称许。④仁：仁人。⑤目：具体的条目。⑥事：照着去做。

【译文】

颜渊问如何做才是仁。孔子说："约束自己，一切按照礼仪的规范去做，这就是仁。一旦这样做了，天下的人就会称许你是仁人。实行仁德完全靠自己，难道还要靠他人吗？"颜渊说："请问实行仁有哪些具体条目。"孔子说："不合于礼的不要看，不合于礼的不要听，不合于礼的不要说，不合于礼的不要做。"颜渊说："我虽愚笨，也要照您说的这些话去做。"

【原文】

仲弓问仁。子曰："出门如见大宾，使民如承大祭。己所不欲，勿施于人。在邦[①]无怨，在家[②]无怨。"仲弓曰："雍虽不敏，请事[③]斯语矣！"

【注释】

①邦：诸侯统治的国家。②家：卿大夫统治的封地。③事：照着去做。

【译文】

仲弓问如何做才是仁。孔子说："出门办事就像去接待贵宾一样，役使百姓就像去举行重大的祭祀一般，都要认真严肃地做。自己不愿意要的，就不强加给别人。在诸侯的朝廷上没人怨恨，在卿大夫的封地里没人怨恨。"仲弓说："我虽笨，也要照您说的话去做。"

【原文】

司马牛[①]问仁。子曰："仁者，其言也讱[②]。"曰："其言也讱，斯[③]谓之仁已乎？"子曰："为之难，言之得无讱乎？"

【注释】

①司马牛：姓司马，名耕，字子牛，孔子的学生。②讱：引申为说话谨慎。③斯：就。

【译文】

司马牛问如何做才是仁。孔子说："仁人说话就是谨慎的。"司马牛说："说话谨慎这就算是仁吗？"孔子说："做起来困难，说起来能不慎重吗？"

【原文】

司马牛问君子。子曰："君子不忧不惧。"曰："不忧不惧，斯谓之君子已乎？"子曰："内省不疚，夫何忧何惧？"

【译文】

司马牛问如何做一个君子。孔子说："君子就是不忧愁，不恐惧。"司马牛说："不忧愁，不恐惧，这样就算是君子了吗？"孔子说："问心无愧，还有什么好忧愁和恐惧的呢？"

【原文】

司马牛忧曰："人皆有兄弟，我独亡！"子夏曰："商闻之矣：'死生有命，富贵在天。'君子敬而无失，与人恭而有礼，四海之内，皆兄弟也。君子何患乎无兄弟也？"

【译文】

司马牛忧愁地说："别人都有兄弟，只有我没有。"子夏说："我听说过：'死生有命，富贵在天。'君子只要严肃认真地对待所做的事情，不出过失，对人恭敬而合乎于礼的规定，那天下人就都是自家兄弟。君子何愁没有兄弟呢？"

【原文】

子张问明。子曰："浸润之谮[①]，肤受之愬[②]，不行焉，可谓明也已矣。浸润之谮，肤受之愬，不行焉，可谓远[③]也已矣。"

【注释】

①谮（zèn）：谗言。②愬（sù）：诬告。③远：明智的最高境界。

【译文】

子张问如何做才算明智。孔子说："像水润物无声那样暗中挑拨的坏话，像切肤之痛那样直接的诽谤，如果在你那里都行不通，那你可算是明智了。暗中挑拨的坏话和直接的诽谤在你那里都行不通，那你可算是有远见的人了。"

【原文】

子贡问政。子曰："足食，足兵，民信之矣。"子贡曰："必不得已而去，于斯三者何先？"曰："去兵。"子贡曰："必不得已而去，于斯二者何先？"曰："去食。自古皆有死，民无信不立。"

【译文】

子贡问如何治理国家。孔子说："粮食充足，军备充足，百姓信任统治者。"子贡说："如果不得不去掉一项，那这三项中先去掉哪一项啊？"孔子说："去掉军备。"子贡说："如果不得不再去掉一项，那两项中去掉哪一项啊？"孔子说："去掉粮食。因为自古以来人都是要死的，而如果老百姓对统治者不信任了，那国家就有可能无法存在了。"

【原文】

棘子成[①]曰："君子质而已矣，何以文为？"子贡曰："惜乎！夫子之说君子也。驷[②]不及舌[③]。文犹质也，质犹文也。虎豹之鞟[④]犹犬羊之鞟。"

【注释】

①棘子成：卫国大夫。②驷：拉一辆车的四匹马。③不及舌：指话一说出口就收不回了。④鞟（kuò）：去掉毛的皮，即革。

【译文】

棘子成说："君子只要具有良好的品质就行了，那些表面上的文采仪式有什么用呢？"子贡说："真遗憾，夫子您如此谈论君子。一言既出，驷马难追。本质就像文采，文采如同本质，二者都是同等重要的。去掉了毛的虎豹皮，如同去掉了毛的犬羊皮一样。"

【原文】

哀公问于有若曰："年饥，用不足，如之何？"有若对曰："盍①彻②乎？"曰："二③，吾犹不足，如之何其彻也？"对曰："百姓足，君孰与不足？百姓不足，君孰与足？"

【注释】

①盍：何不。②彻：西周奴隶主国家十分抽一的田税制度。③二：抽取十分之二的税。

【译文】

鲁哀公问有若说："遭遇饥荒，国家用度困难，该怎么办？"有若回答说："为什么不实行彻法，只抽十分之一的田税？"哀公说："现在抽十分之二的税，我还不够，实行彻法又怎么可以呢？"有若回答说："如果百姓的用度足够，您又怎会不够？如果百姓的用度不够，您又怎会够？"

【原文】

子张问崇德①、辨惑②。子曰："主忠信，徙义③，崇德也。爱之欲其生，恶之欲其死，既欲其生，又欲其死，是惑也。'诚不以富，亦祇以异④'。"

【注释】

①崇德：提高道德修养的水平。②惑：迷惑，不分是非。③徙义：向义靠拢，指符合义的要求。④诚不以富，亦祇以异：这是《诗经·小雅·我行其野》中的两句。

【译文】

子张问如何提高道德修养水平以及辨别是非的能力。孔子说："以忠信为主，使个人的思想合于义，这就提高了道德修养水平。喜欢一个人就希望他活下去，厌恶起来又恨不得他马上死去，既要他活，又要他死，这就是迷惑。'即使不嫌贫爱富，也是喜新厌旧'。"

【原文】

齐景公[①]问政于孔子。孔子对曰："君君、臣臣、父父、子子。"公曰："善哉！信如君不君，臣不臣，父不父，子不子，虽有粟，吾得而食诸？"

【注释】

①齐景公：姓姜，名杵臼，齐国国君。

【译文】

齐景公问孔子如何治理国家。孔子回答说："做君主的就要像君主，做臣子的就要像臣子，做父亲的就要像父亲，做儿子的就要像儿子。"齐景公说："讲得好啊！如果君不像君，臣不像臣，父不像父，子不像子，虽有粮食，我又怎能吃得上？"

【原文】

子曰："片言[①]可以折狱[②]者，其由也与[③]！"子路无宿诺[④]。

【注释】

①片言：即片面之言，古时也叫"单辞"。②折狱：即断案。③其由也与：大概仅有仲由。④宿诺：延误许久而没有兑现的诺言。

【译文】

孔子说："只听了单方面的供词就判决案件的，大概只有仲由吧！"子路说话没有不算数的时候。

【原文】

子曰："听讼[1]，吾犹人也。必也使无讼[2]乎！"

【注释】

①听讼：审理案件。②使无讼：使人们之间没有诉讼之事。

【译文】

孔子说："审理案件，我同别人是一样的。重要的是一定要让诉讼之事根本不发生！"

【原文】

子张问政。子曰："居之无倦，行之以忠。"

【译文】

子张问如何处理政事。孔子说："在官位时勤勉不懈怠，执行君令时忠实不欺瞒。"

【原文】

子曰："博学于文，约之以礼，亦可以弗畔[1]矣夫！"

【注释】

①畔：通"叛"。

【译文】

孔子说："君子广泛地学习文化知识，又以礼来约束自己的言行，也就可以做到不离经叛道了。"

【原文】

子曰："君子成人之美，不成人之恶。小人反是。"

【译文】

孔子说："君子成全他人的好事，但不助长他人的恶处。小人则与此相反。"

【原文】

季康子问政于孔子。孔子对曰:“政者，正也。子帅以正，孰敢不正?”

【译文】

季康子向孔子讨教如何治理国家。孔子回答说:“政是正的意思。你带头走正道，还有谁敢不走正道啊?”

【原文】

季康子患盗，问于孔子。孔子对曰:“苟子之不欲，虽赏之不窃。”

【译文】

季康子忧虑盗窃问题，问孔子该如何处理。孔子回答说:“如果你不贪图财利，即使奖励盗窃也不会有人偷盗。”

【原文】

季康子问政于孔子曰:“如杀无道①，以就有道②，何如?”孔子对曰:“子为政，焉用杀?子欲善而民善矣!君子之德风，人小之德草。草上之风③，必偃④。”

【注释】

①无道:指无道的人。②有道:指有道的人。③草上之风:指风加之于草。④偃:倒。

【译文】

季康子向孔子讨教为政之道，说:“如果杀掉无道的人来成全有道的人，怎么样?”孔子说:“您治理政事，哪里用得着杀戮这一方法啊?您只要行善，百姓自然会跟着行善。在位者的品德就像风，老百姓的品德就像草。风吹草动，草必定跟着风倒。”

【原文】

子张问:“士何如斯可谓之达①矣?”子曰:“何哉，尔所谓达者？”子张对曰：“在邦必闻[2]，在家必闻。”子曰：“是闻也，非达也。夫达也者，质直而好义，察言而观色，虑以下人[3]。在邦必达，在家必达。夫闻也者，色取仁而行违，居之不疑。在邦必闻，在家必闻。”

【注释】

①达：显达。②闻：有名望。③下人：对人谦恭有礼。

【译文】

子张问：“士要怎么做才可以显达？”孔子说：“你说的显达是什么意思呢？”子张答道：“就是在国君朝廷里有一定的名望，在大夫封地里有一定的名声。”孔子说：“这仅仅是徒有虚名，不是显达。所谓‘达’，就是要品质正直，遵照礼义，擅长揣摩别人的话语，善于察言观色，经常谦恭待人。这样的人才能在国君的朝廷或大夫的封地里显达。至于徒有虚名的人，只在表面上装出仁德之貌，在行动上却违背仁德，还以仁人自居而不疑惑。他无论在国君朝廷里还是大夫封地里都必定有坏的名声。”

【原文】

樊迟从游于舞雩之下，曰：“敢问崇德、修[1]慝[2]、辨惑。”子曰：“善哉问！先事后得[3]，非崇德与？攻其恶，无攻人之恶，非修慝与？一朝之忿[4]，忘其身，以及其亲，非惑与？”

【注释】

①修：改正。②慝（tè）：邪恶的念头。③先事后得：先致力于事，才能有所收获。④忿：气愤。

【译文】

樊迟陪孔子在舞雩台下散步，说：“请问如何提升个人品德修养？如何修正自己的邪念？如何辨别是非迷惑？”孔子说：“问得好！先勤勉办事，而后才有所收获，不就是提高品德吗？责备自己的错误，却不攻击别人的错误，不就是改正自己的邪念吗？由于一时的气愤就忘记了自身的安危，以至于牵连亲人，这不就是迷惑吗？”

【原文】

樊迟问仁。子曰：“爱人。”问知。子曰：“知人。”樊迟未达。子曰：“举直错①诸枉②，能使枉者直。”樊迟退，见子夏，曰：“乡③也吾见于夫子而问知，子曰‘举直错诸枉，能使枉者直’，何谓也？”子夏曰：“富哉言乎！舜有天下，选于众，举皋陶④，不仁者远⑤矣。汤有天下，选于众，举伊尹⑥，不仁者远矣。”

【注释】

①错：通“措”，放置。②枉：不正直，邪恶。③乡：过去，同“向”。④皋陶：传说中舜时掌握刑罚的大臣。⑤远：远离，远去。⑥伊尹：汤的宰相，曾辅助汤灭夏兴商。

【译文】

樊迟问什么是仁。孔子说：“爱人。”樊迟问什么是智，孔子说：“识人。”樊迟仍然不明白。孔子说：“选拔正直的人，罢免邪恶的人，能使邪恶的人变得正直。”樊迟退出来，见到子夏说：“刚才我见到老师，问他什么是智，他说‘选拔正直的人，罢黜邪恶的人，能使邪恶的人变得正直’，这是什么意思？”子夏说：“这话说得多深刻啊！舜有天下，在众人中挑选人才，皋陶被选拔出来，不仁的人就被疏远了。汤有了天下，在众人中挑选人才，伊尹被选拔出来，不仁的人也就自然被疏远了。”

【原文】

子贡问友。子曰：“忠告而善道之，不可则止，毋自辱焉。”

【译文】

子贡问如何对待朋友。孔子说："忠诚地告诫他，恰当地指引他，如果他不听就算了，不要自取其辱。"

【原文】

曾子曰："君子以文会友，以友辅仁。"

【译文】

曾子说："君子依靠文章学问结交朋友，用朋友辅助自己培养仁德。"

子路篇第十三

《子路》共有三十章，包含的内容比较广泛，其中有治理国家的政治主张、孔子的教育思想以及"和而不同"的思想。

【原文】

子路问政。子曰："先①之②，劳之。"请益③。曰："无倦④。"

【注释】

①先：引导。②之：此处指老百姓。③益：增加。④无倦：不倦怠。

【译文】

子路问怎样处理政事。孔子说："在老百姓做之前就去做，让他们勤劳。"子路要求多讲一点。孔子说："不要倦怠。"

【原文】

仲弓为季氏宰，问政。子曰："先有司①，赦小过，举贤才。"曰："焉知贤才而举之？"子曰："举尔所知。尔所不知，人其舍诸②？"

【注释】

①有司：负责具体事务的官吏。②诸："之乎"的合音。

【译文】

仲弓做了季氏的家臣，问怎样处理政务。孔子说："先让管理具体事务的官吏各负其责，原谅他们小的过失，选拔有能力的人。"仲弓又问："怎样知道他们有能力并挑选出来呢？"孔子说："选你所知道的。你不知道的但又有能力的人，其他人会舍弃不用他们吗？"

【原文】

子路曰："卫君①待子而为政，子将奚②先？"子曰："必也正名③乎！"子路曰："有是哉，子之迂④也！奚其正？"子曰："野哉，由也！君子于其所不知，盖阙⑤如也。名不正则言不顺，言不顺则事不成，事不成则礼乐不兴，礼乐不兴则刑罚不中⑥，刑罚不中，则民无所措手足。故君子名之必可言也，言之必可行也。君子于其言，无所苟⑦而已矣！"

【注释】

①卫君：卫出公，名辄，卫灵公之孙。②奚：什么。③正名：即正名分。④迂：迂腐。⑤阙：同"缺"。⑥中：得当。⑦苟：马虎。

【译文】

子路对孔子说："卫国国君希望您去管理国家，您打算先从什么事情做起呢？"孔子说："首先一定要正名分。"子路说："需要这么做吗？您这样迂腐啊！为什么要正名呢？"孔子说："仲由，你真鲁莽啊！君子对于他所不明白的事情，总是避开不谈。名分不正，说话就不合乎情理；说话不合乎情理，事情就不好办；事情做不好，礼乐也就不能昌盛；礼乐不能昌盛，刑罚就不能得当；施行刑罚不得当，人民就不知道该怎么办。所以，君子一定要正名分，一定要说清楚，说出来一定合理。君子对于自己的言行，是没有一点马虎的。”

【原文】

樊迟请学稼。子曰：“吾不如老农。”请学为圃[①]。曰：“吾不如老圃。”樊迟出。子曰：“小人哉，樊须也！上好礼，则民莫敢不敬；上好义，则民莫敢不服；上好信，则民莫敢不用情[②]。夫如是，则四方之民襁[③]负其子而至矣，焉用稼？”

【注释】

①圃：引申为种菜。②情：诚实、真实。③襁：背负婴孩用的宽带子。

【译文】

樊迟向孔子询问怎样种庄稼。孔子说：“我比不上老农。”樊迟又询问怎样种菜。孔子说：“我比不上老菜农。”樊迟告别以后，孔子说：“樊迟真是小人。上位者如果看重礼，那么百姓自然会有敬畏之心；上位者如果看重义，那么百姓自然会服从；上位者如果诚恳守信，那么百姓就没有谁敢不诚实。如果做到这样，全国各地的百姓都会背着他们的小孩来投靠你，怎么用得着自己去种庄稼呢？”

【原文】

子曰：“诵《诗》三百，授之以政，不达[①]；使于四方，不能专对[②]。虽多，亦奚以[③]为？”

【注释】

①达：通达。②专对：独立对答。③以：用。

【译文】

孔子说：“就算把《诗经》三百篇背得滚瓜烂熟，让他处理政务，他也不知如何做；让他做外交使节，他也不能单独地办理交涉。背得再多，又有什么用呢？”

【原文】

子曰："其身正，不令而行；其身不正，虽令不从。"

【译文】

孔子说："自己行为端正，就算不强制命令，老百姓也会去做；自己行为不端正，就算强制命令，老百姓也不会听从。"

【原文】

子曰："鲁卫之政，兄弟也。"

【译文】

孔子说："鲁国和卫国的政事，就像兄弟的政事一般。"

【原文】

子谓卫公子荆①："善②居室③。始有，曰：'苟④合⑤矣。'少有，曰：'苟完矣。'富有，曰：'苟美矣。'"

【注释】

①卫公子荆：卫国大夫，卫献公的儿子。②善：善于。③居室：居家过日子。④苟：差不多。⑤合：足够。

【译文】

孔子谈到卫国的大夫公子荆时说："他擅长居家理财。开始有一点，他说：'差不多就够了。'略多一点时，他说：'差不多就完备了。'再多一点时，他说：'差不多是完美了。'"

【原文】

子适卫，冉有仆①。子曰："庶②矣哉！"冉有曰："既庶矣，又何加焉？"曰："富之。"曰："既富矣，又何加焉？"曰："教之。"

【注释】

①仆：驾车。②庶：众多。

【译文】

孔子到卫国去，冉有替他驾车。孔子说："这里好多人呀！”冉有说：“都这么多人了，我们还要做什么呢？”孔子说：“让他们富裕起来。”冉有说：“富了之后又要做什么呢？”孔子说：“教化他们。”

【原文】

子曰：“苟有用我者，期月而已可也，三年有成。”

【译文】

孔子说：“如果有人任用我来管理国家，一年我就可以治理出个样子，三年就会有成绩。”

【原文】

子曰：“‘善人为邦百年，亦可以胜残去杀矣。’诚哉是言也！”

【译文】

孔子说：“‘如果是好人管理国家，那经过一百年后，就可以废除残暴、杜绝刑罚杀戮了。’这话真对啊！”

【原文】

子曰：“如有王者，必世而后仁。”

【译文】

孔子说：“如果有王者兴起，就必定要用三十年才可以实现仁政。”

【原文】

子曰：“苟正其身矣，于从政乎何有？不能正其身，如正人何？”

【译文】

孔子说：“假如端正了自己的行为，治理政事有什么难呢？假如不能端正自己的行为，又怎么能让别人端正呢？”

【原文】

冉子退朝。子曰：“何晏也？”对曰：“有政。”子曰：

"其事也。如有政，虽不吾以，吾其与闻之。"

【译文】

冉求退朝回来。孔子说："你怎么回来得这么晚呀？"冉求回答说："有政事。"孔子说："是普通的事务吧？假如有政事，就算国君不用我，我也会知道的。"

【原文】

定公问："一言而可以兴邦，有诸？"孔子对曰："言不可以若是其几也。人之言曰：'为君难，为臣不易。'如知为君之难也，不几乎一言而兴邦乎？"曰："一言而丧邦，有诸？"孔子对曰："言不可以若是其几也。人之言曰：'予无乐乎为君，唯其言而莫予违也。'如其善而莫之违也，不亦善乎？如不善而莫之违也，不几乎一言而丧邦乎？"

【译文】

鲁定公问："一句话就可以让国家繁盛，有这样的话吗？"孔子回答道："说话不可以像这样的简单机械。有人说：'做君难，做臣不易。'如果明白了做君的难，这不类似于一句话能让国家繁盛吗？"鲁定公又问："一句话会亡国，有这样的话吗？"孔子说："说话不可以像这样的简单机械。有人说过：'我做君主并没有什么可高兴的，我所高兴的就是我所说的话没有人敢不听。'如果说得对却没有人违抗，岂不很好？但假如说得不对而没有人违抗，那不类似于一句话能亡国吗？"

【原文】

叶公问政。子曰："近者说，远者来。"

【译文】

叶公请教孔子如何处理政事。孔子说："让近处的人愉悦，让远处的人来归依。"

【原文】

子夏为莒父①宰，问政。子曰：“无欲速，无见小利。欲速则不达，见小利则大事不成。”

【注释】

①莒（jǔ）父：鲁国的一个城邑。

【译文】

子夏做莒父的长官，向孔子请教如何处理政事。孔子说：“不贪求快，不图小利。求快反而达不到目的，贪求小利就办不成大事。”

【原文】

叶公语孔子曰：“吾党①有直躬者②，其父攘羊③，而子证④之。”孔子曰：“吾党之直者异于是。父为子隐，子为父隐，直在其中矣。”

【注释】

①党：乡党。②直躬者：正直的人。③攘羊：偷羊。④证：告发。

【译文】

叶公对孔子说：“我家乡有一个正直诚实的人，他的父亲偷了别人的羊，他揭发了他的父亲。”孔子说：“我家乡也有一个正直的人，但和你讲的不同。父亲为儿子隐瞒，儿子为父亲隐瞒。正直就在其中了。”

【原文】

樊迟问仁。子曰：“居处恭，执事敬，与人忠。虽之夷狄，不可弃也。”

【译文】

樊迟问什么才是仁。孔子说：“在家时规规矩矩，办事认真，待人忠心。就是到了夷狄之地，也不可违背。”

【原文】

子贡问曰："何如斯可谓之士①矣？"子曰："行己有耻，使于四方，不辱君命，可谓士矣。"曰："敢问其次。"曰："宗族称孝焉，乡党称弟焉。"

曰："敢问其次。"曰："言必信，行必果②，硁硁③然小人哉！抑亦可以为次矣。"曰："今之从政者何如？"子曰："噫！斗筲④之人，何足算也！"

【注释】

①士：古代社会知识分子的通称。②果：果断。③硁硁（kēng）：敲击石头的声音。④斗筲（shāo）：竹器。

【译文】

子贡问道："什么样的人才能称为士？"孔子说："自己在做事时有知耻之心，出使各方，可以完成君主交付的使命，这叫作士。"子贡说："那么差一等的呢？"孔子说："宗族中有人夸他孝敬父母，乡党们夸他尊敬兄长。"

子贡又问："再差一等的呢？"孔子说："自己说到做到，做事坚持到底，一味固执己见，这是小人啊！但也能说是再次一等的士了。"子贡说："如今的执政者，您看如何？"孔子说："唉！那些器量狭小的人，怎能算呢？"

【原文】

子曰："不得中行①而与之，必也狂狷②乎！狂者进取，狷者有所不为也。"

【注释】

①中行：行为合乎中庸。②狷（juàn）：洁身自好。

【译文】

孔子说："找不到行为合乎中庸的人交往，我只好与狂者、狷者相交往！狂者敢作敢为，狷者不屑干有些事。"

【原文】

子曰："南人有言曰：'人而无恒，不可以作巫医①。'善夫！""不恒其德，或承之羞②。"子曰："不占③而已矣。"

【注释】

①巫医：用卜筮为人治病的人。②不恒其德，或承之羞：引自《易经》。③占：占卜。

【译文】

孔子说："南方人有句话说：'一个人如果做事没有恒心，就不能当巫医。'这句话说得好啊！""人不能长时间地坚持自己的德行，就会招致耻辱。"孔子说："这句话是说，没有恒心的人根本用不着去占卦了。"

【原文】

子曰："君子和①而不同②，小人同而不和。"

【注释】

①和：指不同的东西和谐地配合。②同：指相同的东西相加或与人相混同。

【译文】

孔子说："君子力求和谐而不盲目附从，小人盲目附从，而不讲求协调。"

【原文】

子贡问曰："乡人皆好之，何如？"子曰："未可也。""乡人皆恶之，何如？"子曰："未可也。不如乡人之善者好之，其不善者恶之。"

【译文】

子贡问孔子说："全乡人都喜欢他，这个人怎么样？"孔子说："还不能完全肯定。"子贡又问孔子说："全乡人都厌恶他，这个人怎么样？"孔子说："这也是不能肯定的。因为最好的人是全乡的好人都喜欢他，全乡的坏人都讨厌他。”

【原文】

子曰：“君子易事[1]而难说[2]也。说之不以道，不说也；及其使人也，器之[3]。小人难事而易说也。说之虽不以道，说也；及其使人也，求备焉。”

【注释】

①易事：易于相处共事。②难说：难以取悦。③器之：量才使用他。

【译文】

孔子说：“为君子办事很简单，但不易让他愉悦。不按正道去讨他的欢喜，他是不会喜欢的；等到他用人的时候，总是量才而用。为小人办事就很难，但很容易让他喜欢。不按正道去讨他的喜欢，也会让他喜欢；等他用人的时候，却吹毛求疵。”

【原文】

子曰：“君子泰而不骄，小人骄而不泰。”

【译文】

孔子说：“君子舒泰却不傲慢，小人傲慢却不舒泰。”

【原文】

子曰：“刚、毅、木、讷，近仁。”

【译文】

孔子说：“刚强、毅力、朴实、谨慎，这四种品德接近仁。”

【原文】

子路问曰：“何如斯可谓之士矣？”子曰：“切切偲偲[1]，怡怡[2]如也，可谓士矣。朋友切切偲偲，兄弟怡怡。”

【注释】

①切切偲偲（sī）：互相勉励督促。②怡怡：和气的样子。

【译文】

子路向孔子请教："如何才能称为士呢？"孔子说："互助督促勉励，相处和气，可以称为士了。朋友之间互相督促勉励，兄弟之间相处和气。"

【原文】

子曰："善人教民七年，亦可以即戎矣。"

【译文】

孔子说："善人训练百姓七年，就能让他们打仗了。"

【原文】

子曰："以不教民战，是谓弃之。"

【译文】

孔子说："用未经受过训练的人民去作战，就是抛弃他们。"

宪问篇第十四

《宪问》共计四十四篇，所包括的主要内容有作为君子必须具备的某些品德，孔子对社会上的各种现象所发表的评论，孔子"见利思义"的义利观等。

【原文】

宪①问耻。子曰："邦有道，谷②；邦无道，谷，耻也。""克、伐③、怨、欲不行焉，可以为仁矣？"子曰："可以为难矣，仁则吾不知也。"

【注释】

①宪：孔子的学生。②谷：俸禄。③伐：自夸。

【译文】

原宪问孔子可耻是什么。孔子回答："当国家有道时，做官拿俸禄；当国家无道时，还做官拿俸禄，这就是可耻。”原宪又问：“好胜、自夸、怨恨、贪欲都不具备的人，算做到仁了吧？”孔子说：“做到这些是很难得的，但是不是做到了仁，我就不知道了。”

【原文】

子曰：“士而怀居[1]，不足以为士矣！”

【注释】

①怀居：指留恋家居的安逸生活。

【译文】

孔子说：“士人如果留恋家庭的安逸生活，就不能称为士了。”

【原文】

子曰：“邦有道，危[1]言危行；邦无道，危行言孙[2]。”

【注释】

①危：直，正直。②孙：同“逊”。

【译文】

孔子说：“国家有道，要言行正直；国家无道，也要言行正直，但还要谨慎。”

【原文】

子曰：“有德者必有言，有言者不必有德。仁者必有勇，勇者不必有仁。”

【译文】

孔子说：“有德行的人一定有出色的言论，有出色言论的人不一定有德行。仁人一定勇敢，但勇敢的人不一定有仁德。”

【原文】

南宫适[1]问于孔子曰：“羿[2]善射，奡[3]荡舟[4]，俱不得其死然。禹⑤、稷⑥躬稼，而有天下。”夫子不答。南宫适出。子曰：“君子哉若人！尚德哉若人！”

【注释】

①南宫适：南容。②羿（yì）：传说中夏代有穷国的国君。③奡（ào）：传说中寒浞的儿子。④荡舟：用手推船。⑤禹：夏朝的开国之君。⑥稷：传说是周朝的祖先。

【译文】

南宫适问孔子：“羿善于射箭，奡善于水战，最后都不得善终。禹和稷虽然都亲自种植庄稼，但都拥有了天下。”孔子没有回答。南宫适出去后，孔子说：“这个人真是君子呀！这人真是尊重道德！”

【原文】

子曰：“君子而不仁者有矣夫，未有小人而仁者也。”

【译文】

孔子说：“君子中没有仁德的人是有的，而小人中有仁德的人是没有的。”

【原文】

子曰：“爱之，能勿劳乎？忠焉，能勿诲乎？”

【译文】

孔子说：“爱他，能不为他劳心吗？忠于他，能不对他劝说吗？”

【原文】

子曰：“为命①，裨谌②草创之，世叔③讨论之，行人④子羽⑤修饰之，东里⑥子产润色之。”

【注释】

①命：指国家的政令。②裨谌（bì chén）：人名，郑国的大夫。③世叔：郑国的大夫。④行人：官名，掌管外交事务。⑤子羽：公孙挥的字。

⑥东里：地名，子产居住的地方。

【译文】

孔子说："郑国发表的公文，一般都由裨谌起草，世叔提出修改意见，外交官子羽修饰，子产进行最后的修改。"

【原文】

或问子产。子曰："惠人也。"问子西①。曰："彼哉！彼哉！"问管仲。曰："人也②。夺伯氏③骈邑④三百，饭疏食，没齿⑤无怨言。"

【注释】

①子西：楚国的令尹，名申。②人也：即此人也。③伯氏：齐国的大夫。④骈邑：伯氏的采邑。⑤没齿：终其天年，指直到死去时。

【译文】

有人问子产是个什么样的人。孔子说："是个懂得恩惠他人的人。"又问子西是什么样的人。孔子说："这个人呀！这个人呀！"又问管仲是什么样的人。孔子说："他是个有才能的人，他夺走伯氏骈邑三百户的采邑，让伯氏终生吃粗茶淡饭，至死也没有怨言。"

【原文】

子曰："贫而无怨难，富而无骄易。"

【译文】

孔子说："贫穷而无抱怨是很难得的，富裕而不骄傲却比较容易。"

【原文】

子曰："孟公绰①为赵魏老②则优③，不可以为滕④薛⑤大夫。"

【注释】

①孟公绰：鲁国大夫。②老：古代大夫的家臣。③优：有余。④滕：

诸侯国家，在今山东滕州。⑤薛：诸侯国家，在今山东滕州西南一带。

【译文】

孔子说："孟公绰做晋国越氏、魏氏的家臣，是能够胜任的，但不能做滕、薛这样小国的大夫。"

【原文】

子路问成人[①]。子曰："若臧武仲[②]之知，公绰之不欲，卞庄子[③]之勇，冉求之艺，文之以礼乐，亦可以为成人矣。"曰："今之成人者何必然？见利思义，见危授命，久要[④]不忘平生之言，亦可以为成人矣。"

【注释】

①成人：人格完备之人。②臧武仲：鲁国大夫臧孙纥。③卞庄子：鲁国卞邑大夫，以勇称。④久要：长久处于穷困中。

【译文】

子路问如何做一个完人。孔子说："如果具备臧武仲的才智，孟公绰的克制，卞庄子的勇敢，冉求的多才，再用礼乐加以修饰，就可以称得上是一个完人了。"孔子又说："现如今的完人何必一定要这样呢？见到财利时想到义，遇到危险时敢献出生命，长久穷困还不忘平日的诺言，这也可以算得上是一个完人。"

【原文】

子问公叔文子[①]于公明贾[②]曰："信乎？夫子[③]不言、不笑、不取乎？"公明贾对曰："以[④]告者过也。夫子时然后言，人不厌其言；乐然后笑，人不厌其笑；义然后取，人不厌其取。"子曰："其然？岂其然乎？"

【注释】

①公叔文子：卫国大夫公孙拔。②公明贾：姓公明，名贾。③夫子：指公叔文子。④以：代词，这。

【译文】

孔子向公明贾打听公叔文子这个人，说："先生他不说、不笑、不贪钱财，有这种事吗？"公明贾回答道："告诉你这些话的人是错的。先生他该说时才说，所以别人不讨厌他说；快乐时才笑，所以别人不讨厌他笑；只取合于礼的财利，所以别人不讨厌他取。"孔子说："是这样吗？真是这样吗？"

【原文】

子曰："臧武仲以防求为后于鲁，虽曰不要君，吾不信也。"

【译文】

孔子说："臧武仲凭借他的采邑防城请求立其子弟为鲁国卿大夫，即便有人说他不是要挟君主，我也不信。"

【原文】

子曰："晋文公①谲②而不正，齐桓公③正而不谲。"

【注释】

①晋文公：春秋五霸之一。②谲（jué）：欺诈。③齐桓公：姓姜，名小白。春秋五霸之一。

【译文】

孔子说："晋文公诡诈而不正直，齐桓公正直而不诡诈。"

【原文】

子路曰："桓公杀公子纠①，召忽②死之，管仲不死。"曰："未仁乎？"子曰："桓公九合诸侯③，不以兵车④，管仲之力也。如其仁⑤！如其仁！"

【注释】

①公子纠：齐桓公的哥哥。②召忽：公子纠的家臣。③九合诸侯：指齐桓公多次召集诸侯盟会。④不以兵车：即不用武力。⑤如其仁：这就是他的仁德。

【译文】

子路说："齐桓公杀了公子纠，召忽自杀为公子纠殉葬，但管仲没有自杀。"接着又说："管仲不能算是仁人吧？"孔子说："桓公多次召集各诸侯国盟会，没有使用武力，这都是管仲的力量啊。这就是他的仁德！这就是他的仁德！"

【原文】

子贡曰："管仲非仁者与？桓公杀公子纠，不能死，又相之。"子曰："管仲相桓公，霸诸侯，一匡天下，民到于今受其赐。微①管仲，吾其被②发左衽③矣！岂若匹夫匹妇之为谅④也，自经⑤于沟渎⑥而莫之知也？"

【注释】

①微：无，没有。②被：同"披"。③衽：衣襟。④谅：遵守信用。⑤自经：上吊自杀。⑥渎：小沟渠。

【译文】

子贡问："管仲不能算有仁德的人吧？桓公杀了公子纠，他没有为公子纠殉葬，却成了齐桓公的宰相。"孔子说："管仲辅佐桓公，称霸诸侯，匡扶天下，百姓到今天还享受到他的好处。如果没有管仲，恐怕我们也要披散着头发，衣襟向左开了！他怎能像一般百姓那样恪守小节，自杀在小山沟里，而谁也不知道呢？"

【原文】

公叔文子之臣大夫僎①与文子同升诸公②。子闻之曰："可以为文矣。"

【注释】

①僎（xún）：人名。②升诸公：说僎由家臣升为大夫，与公叔文子同位。

【译文】

公叔文子的家臣僎和文子一起做了卫国的大夫。孔子知道这件事以后说："他死后可以给他'文'的谥号了。"

【原文】

子言卫灵公之无道也，康子曰："夫如是，奚而不丧？"孔子曰："仲叔圉[①]治宾客，祝鮀治宗庙，王孙贾治军旅。夫如是，奚其丧？"

【注释】

①仲叔圉（yǔ）：即孔文子。

【译文】

孔子讲到卫灵公的无道，季康子说："既然如此，他怎么没有亡国呢？"孔子说："因为仲叔圉帮他接待宾客，祝鮀帮他管理宗庙祭祀，王孙贾帮他统率军队，像这样，怎会败亡呢？"

【原文】

子曰："其言之不怍[①]，则为之也难！"

【注释】

①怍（zuò）：惭愧。

【译文】

孔子说："如果说话大言不惭，要实现这些话就很难了。"

【原文】

陈成子[①]弑简公[②]。孔子沐浴而朝，告于哀公曰："陈恒弑其君，请讨之。"公曰："告夫三子[③]。"孔子曰："以吾从大夫之后，不敢不告也。君曰'告夫三子'者。"之[④]三子告，不可。孔子曰："以吾从大夫之后，不敢不告也。"

【注释】

①陈成子：即陈恒，齐国大夫。②简公：齐简公，姓姜名壬。③三

子：指季孙、孟孙、叔孙三家。④之：动词，往。

【译文】

陈成子杀了齐简公。孔子斋戒沐浴后，上朝去见鲁哀公，向他报告说："陈恒把他的君主杀了，请您出兵攻打他吧！"哀公说："你去告诉那三位大夫吧！"孔子退朝后说："因为我曾经做过大夫，不敢不来报告，君主却说：'你去告诉那三位大夫吧。'"孔子去向那三位大夫报告，可三位大夫都不愿派兵讨伐，孔子又说："因为我曾经做过大夫，所以不敢不来报告呀。"

【原文】

子路问事君。子曰："勿欺也，而犯之。"

【译文】

子路问如何侍奉君主。孔子说："不能欺骗他，但可以直言劝谏。"

【原文】

子曰："君子上达，小人下达。"

【译文】

孔子说："君子向上通达仁义之理，小人向下通达财利之势。"

【原文】

子曰："古之学者为己，今之学者为人。"

【译文】

孔子说："古代的人学习是为了自己，现在的人学习是为了别人。"

【原文】

蘧伯玉[①]使人于孔子。孔子与之坐而问焉，曰："夫子何为？"对曰："夫子欲寡其过而未能也。"使者出。子曰：

“使乎！使乎！”

【注释】

①蘧（qú）伯玉：卫国的大夫。

【译文】

蘧伯玉派使者去拜访孔子。孔子让使者坐下后，问道：“先生最近在做什么？”使者说：“先生想减少自己犯的错误，但还没有做到。”使者走后，孔子说：“好一位使者啊！好一位使者啊！”

【原文】

子曰：“不在其位，不谋其政。”曾子曰：“君子思不出其位。”

【译文】

孔子说：“不居于那个职位，就不要考虑那个职位上该做的事情。”曾子说：“君子考虑问题不会超出自己的职责范围。”

【原文】

子曰：“君子耻其言而过其行。”

【译文】

孔子说：“君子以口里说的超过实际做的为耻。”

【原文】

子曰：“君子道者三，我无能焉：仁者不忧，知者不惑，勇者不惧。”子贡曰：“夫子自道也。”

【译文】

孔子说：“君子之道有三个方面，我都没能力做到：仁德的人不忧愁，智慧的人不迷惑，勇敢的人不害怕。”子贡说：“这正是老师的自我形容啊！”

【原文】

子贡方人①。子曰：“赐也贤乎哉②？夫我则不暇。”

【注释】

①方人：评论别人。②哉：表疑问语气。

【译文】

子贡评论别人的短处。孔子说："赐啊，你自己就很贤良吗？我还没有时间去评论别人。"

【原文】

子曰："不患人之不己知，患其不能也。"

【译文】

孔子说："不怕别人不知道自己，就担心自己没有真本事。"

【原文】

子曰："不逆①诈，不亿②不信，抑亦先觉者，是贤乎！"

【注释】

①逆：预先猜测。②亿：通"臆"，猜测。

【译文】

孔子说："不预先推测别人的欺骗，也不事先怀疑别人的不诚实，但如果能事先发现这些，这就是贤人了。"

【原文】

微生亩①谓孔子曰："丘何为是②栖栖③者与？无乃为佞乎？"孔子曰："非敢为佞也，疾④固⑤也。"

【注释】

①微生亩：鲁国人。②是：如此。③栖栖：不安定的样子。④疾：恨。⑤固：固执。

【译文】

微生亩对孔子说："孔丘，你为什么要到处奔波游说呢？不就是显摆自己的口才和花言巧语吗？"孔子说："我不敢花言巧语，只是痛恨那些顽固的人。"

【原文】

子曰："骥[1]不称其力，称其德也。"

【注释】

①骥：千里马。

【译文】

孔子说："千里马值得称赞的不是气力，而是它的品德。"

【原文】

或曰："以德报怨，何如？"子曰："何以报德？以直报怨，以德报德。"

【译文】

有人说："用恩德来回报怨恨，如何？"孔子说："用什么来回报恩德呢？应用正直来回报怨恨，用恩德来回报恩德。"

【原文】

子曰："莫我知也夫！"子贡曰："何为其莫知子也？"子曰："不怨天，不尤[1]人；下学而上达[2]。知我者其天乎！"

【注释】

①尤：责怪。②下学而上达：下学学人事，上达达天命。

【译文】

孔子说："没有人了解我啊！"子贡说："您为什么这样说呢？"孔子说："我不埋怨天，也不责备人；下学人事，上达天命。了解我的恐怕只有天吧！"

【原文】

公伯寮[1]愬[2]子路于季孙。子服景伯[3]以告，曰："夫子固有惑志，于公伯寮，吾力犹能肆诸市朝[4]。"子曰："道之将行也与，命也。道之将废也与，命也。公伯寮其如命何！"

【注释】

①公伯寮：孔子的学生。②愬：诽谤。③子服景伯：鲁国大夫。④肆诸市朝：古时处死罪人后陈尸示众。

【译文】

公伯寮向季孙诽谤子路。子服景伯把这件事讲给孔子听，并且说："季孙氏已经被公伯寮蛊惑，我可以把公伯寮杀了，让他陈尸于市。"孔子说："道能否得到推行，是天命决定的。公伯寮能把天命怎么样呢？"

【原文】

子曰："贤者辟①世，其次辟地，其次辟色，其次辟言。"子曰："作者七人②矣。"

【注释】

①辟：同"避"，逃避。②七人：即伯夷、叔齐、虞仲、夷逸、朱张、柳下惠、少连。

【译文】

孔子说："贤人通过隐居来逃避动荡的社会，次一点的逃到别的地方去，再次一点的躲避别人的脸色，再次一点的回避别人难听的话。"孔子又说："这样做的已有七个人了。"

【原文】

子路宿于石门①。晨门②曰："奚自？"子路曰："自孔氏。"曰："是知其不可而为之者与？"

【注释】

①石门：鲁国都城的外门。②晨门：早上看守城门的人。

【译文】

子路晚上住在石门。看门的人问："你从哪里来？"子路说："从孔子那里来。"看门的人问："就是那个明知不可做却还要去做的人吗？"

【原文】

子击磬[①]于卫。有荷蒉[②]而过孔氏之门者，曰："有心哉！击磬乎！"既而曰："鄙哉！硁硁[③]乎！莫己知也，斯己而已矣。深则厉[④]，浅则揭[⑤]。"子曰："果哉！末[⑥]之难矣。"

【注释】

①磬（qìng）：打击乐器。②荷蒉（kuì）：肩背着草筐。③硁硁（kēng）：击磬的声音。④深则厉：穿着衣服涉水过河。⑤浅则揭：提起衣襟涉水过河。⑥末：无。

【译文】

孔子在卫国敲磬。有一位背扛草筐的人从门前走过说："击磬的这个人有心思啊！"一会儿又说："声音硁硁的，像在说没人能了解自己，没有人了解就算了吧。水深就穿着衣服蹚过去，水浅就撩起衣服蹚过去。"孔子说："果然是这样啊！没有什么可以为难他了。"

【原文】

子张曰："《书》云'高宗[①]谅阴[②]，三年不言'，何谓也？"子曰："何必高宗？古之人皆然。君薨[③]，百官总己以听于冢宰[④]三年。"

【注释】

①高宗：商王武宗。②谅阴：古时天子守丧之称。③薨（hōng）：周代时诸侯死称薨。④冢宰：官名，相当于后世的宰相。

【译文】

子张说："《尚书》说：'高宗守丧，三年不谈政事。'是什么意思？"孔子说："不仅高宗，古人都是这样。国君死了，朝廷百官都各司其职，之后三年都要听从冢宰的命令。"

【原文】

子曰："上好礼，则民易使也。"

【译文】

孔子说："在上位的人爱好礼仪，那么就容易差遣老百姓了。"

【原文】

子路问君子。子曰："修己以敬。"曰："如斯而已乎？"曰："修己以安人①。"曰："如斯而已乎？"曰："修己以安百姓②。修己以安百姓，尧、舜其犹病诸！"

【注释】

①安人：使上层人物安乐。②安百姓：使老百姓安乐。

【译文】

子路问什么叫君子。孔子说："提高自己的修养，恭敬对待他人。"子路说："这样就足够了吗？"孔子说："修养自己，还要让周围的人安乐。"子路说："这样就足够了吗？"孔子说："修养自己，让所有的百姓都安乐。修养自己让所有百姓都安乐，恐怕尧、舜也很难做到。"

【原文】

原壤①夷②俟③。子曰："幼而不孙弟④，长而无述焉，老而不死，是为贼！"以杖叩其胫。

【注释】

①原壤：鲁国人，孔子的旧友。②夷：双腿分开而坐。③俟（sì）：等待。④孙弟：同"逊悌"，谦逊、尊敬兄长。

【译文】

原壤叉开双腿坐着等孔子。孔子骂他："小时不懂得谦逊、孝悌，长大了也没有什么成就，人老却还不死，真是害人虫。"说着，用手杖敲他的小腿。

【原文】

阙党[①]童子将命[②]。或问之曰："益者与？"子曰："吾见其居于位[③]也，见其与先生并行也。非求益者也，欲速成者也。"

【注释】

①阙党：即阙里，孔子家住的地方。②将命：在宾主之间传言。③居于位：童子与长者同坐。

【译文】

阙里的一个童子来向孔子传话。有人问孔子："这是个爱好上进的孩子吗？"孔子说："我看见他坐在成年人的位子上，和长辈一起行走。他不是一个要求上进的人，是个急于求成的人。"

卫灵公篇第十五

《卫灵公》共计四十二章，内容涉及孔子的"君子小人观"的若干方面、教育思想与政治思想，以及其在其他方面的言行。

【原文】

卫灵公问陈[①]于孔子。孔子对曰："俎豆[②]之事，则尝闻之矣；军旅之事，未之学也。"明日遂行。

【注释】

①陈：同"阵"，布列的阵势。②俎（zǔ）豆：用作祭祀的礼器。

【译文】

卫灵公向孔子问军队布阵之法。孔子回答说："祭祀礼仪方面的事情，我倒听说过；用兵打仗的事，我没有学过。"第二天，孔子就离开了卫国。

【原文】

在陈绝粮，从者病，莫能兴。子路愠①见曰："君子亦有穷乎？"子曰："君子固穷②，小人穷斯滥矣。"

【注释】

①愠：怒。②固穷：固守穷困。

【译文】

孔子一行在陈国断了粮食，随行的人又生病了，没有人站得起来。子路带着怨恨对孔子说："君子也会穷得没办法吗？"孔子说："君子虽然穷困，但还坚持；小人一旦穷困，就什么事都干得出来了。"

【原文】

子曰："赐也，女以予为多学而识之者与？"对曰："然，非与？"曰："非也。予一以贯之。"

【译文】

孔子说："赐啊！你以为我是因为学习得多才记住那些知识的吗？"子贡答道："对啊，难道不是吗？"孔子说："不是的。我是用一个东西把它们贯彻起来了。"

【原文】

子曰："由！知德者鲜矣。"

【译文】

孔子说："由啊！了解德的人太少了。"

【原文】

子曰："无为而治①者，其舜也与？夫②何为哉？恭己正南面而已矣。"

【注释】

①无为而治：国家的统治者不必有所作为便可以治理国家。②夫：

代词，他。

【译文】

孔子说："大概只有舜能够无所作为而治理天下吧？他做了些什么呢？只是庄重肃穆地坐在朝廷的王位上而已。"

【原文】

子张问行①。子曰"言忠信，行笃敬，虽蛮貊②之邦，行矣；言不忠信，行不笃敬，虽州里③，行乎哉？立，则见其参④于前也；在舆，则见其倚于衡⑤也；夫然后行！"子张书诸绅⑥。

【注释】

①行：通达。②蛮貊：古人对少数民族的泛称。③州里：指乡里本土。④参：列，显现。⑤衡：车辕前面的横木。⑥绅：贵族系在腰间的大带。

【译文】

子张问孔子怎样才能使自己到处都能行得通。孔子说："说话要真诚有信，行事要笃实恭敬，就算到了蛮荒地区，也可以行得通；说话不真诚有信，行事不笃实恭敬，就算在本乡本土也行不通。站着，就仿佛忠信笃敬这几个字显现在面前；坐车，就好像这几个字刻在车辕前的横木上，这样自己到处都行得通。"子张把这些话写在腰间的大带上。

【原文】

子曰："直哉史鱼①！邦有道，如矢②；邦无道，如矢。君子哉蘧伯玉！邦有道，则仕；邦无道，则可卷而怀之③。"

【注释】

①史鱼：卫国大夫史鳍，字子鱼。②如矢：像箭一样，形容其直。③卷而怀之：指隐而不仕。

【译文】

孔子说："史鱼真是刚正啊！不管国家有道还是无道，他的言行都像箭一样直。蘧伯玉真是一位君子啊！国家有道，他就出来做官；国家无道，他就辞官而把自己的主张放在心里。

【原文】

子曰："可与言而不与之言，失人；不可与言而与之言，失言。知者不失人，亦不失言。"

【译文】

孔子说："可以跟他谈的话却不跟他谈，这样会失掉朋友；不可以跟他谈的话却跟他谈，这就是说错了话。有智慧的人既不会失去朋友，也不会说错话。"

【原文】

子曰："志士仁人，无求生以害仁，有杀身以成仁。"

【译文】

孔子说："志士仁人，没有因为贪生怕死而损害仁的，却有牺牲性命来成全仁的。"

【原文】

子贡问为仁。子曰："工欲善其事，必先利其器。居是邦也，事其大夫之贤者，友其士之仁者。"

【译文】

子贡问如何实行仁德。孔子说："做工的人如果想把活做好，就必须先使他的工具锋利。住在这个国家，就要侍奉大夫中的贤者，与士人中的仁者交朋友。"

【原文】

颜渊问为邦。子曰："行夏之时①，乘殷之辂②，服周之冕③，乐则《韶》舞④。放⑤郑声⑥，远⑦佞人。郑声淫，佞人殆⑧。"

【注释】

①夏之时：夏代的历法。②辂（lù）：天子所乘的车。③周之冕：周

代的帽子。④《韶》舞：舜时的舞乐。⑤放：禁绝。⑥郑声：郑国的乐曲。⑦远：远离。⑧殆：危险。

【译文】

颜渊问如何治理国家。孔子说："用夏代的历法，乘殷代的车子，戴周代的礼帽，奏《韶》乐。杜绝郑国的乐曲，远离能言善辩的人。因为郑国的乐曲奢靡，善辩的人危险。"

【原文】

子曰："人无远虑，必有近忧。"

【译文】

孔子说："人若没有长远的考虑，也必会有跟前的忧患。"

【原文】

子曰："已矣乎！吾未见好德如好色者也。"

【译文】

孔子说："完了！我从来没有看到过像好色那样好德的人。"

【原文】

子曰："臧文仲其窃位①者与！知柳下惠②之贤而不与立也。"

【注释】

①窃位：偷窃官位，指身居官位而不称职。②柳下惠：春秋中期鲁国大夫。

【译文】

孔子说："臧文仲是一个偷窃官位的人！他知道柳下惠具有贤能，却不推荐他。"

【原文】

子曰："躬自厚而薄责于人，则远怨矣！"

【译文】

孔子说："多要求自己而少非难别人，就可以远离怨恨了。"

【原文】

子曰："不曰'如之何[1]、如之何'者，吾末[2]如之何也已矣。"

【注释】

①如之何：怎么办。②末：指没有办法。

【译文】

孔子说："不说'怎么办、怎么办'的人，我对他也没有办法。"

【原文】

子曰："群居终日，言不及义，好行小慧，难矣哉！"

【译文】

孔子说："整天聚在一块儿，说的却达不到义的标准，喜欢卖弄小聪明，这种人很难教导。"

【原文】

子曰："君子义以为质，礼以行之，孙以出之，信以成之。君子哉！"

【译文】

孔子说："君子以义为根本，用礼去实行，用谦恭的语言表达，用真诚的态度实现。这就是君子啊！"

【原文】

子曰："君子病无能焉，不病人之不己知也。"

【译文】

孔子说："君子只担心自己没有才能，不担心别人不了解自己。"

【原文】

子曰："君子疾没世[1]而名不称焉。"

【注释】

①没世：死亡之后。

【译文】

孔子说："君子担心自己死后，他的名字不为人们所称赞。"

【原文】

子曰："君子求诸己，小人求诸人。"

【译文】

孔子说："君子遇到困难，喜欢依靠自己；小人遇事，喜欢求助他人。"

【原文】

子曰："君子矜①而不争，群而不党。"

【注释】

①矜：庄重。

【译文】

孔子说："君子端庄而不与别人相争，合群而不结党营私。"

【原文】

子曰："君子不以言举人，不以人废言。"

【译文】

孔子说："君子不会根据一个人说的话来推荐他，也不根据一个人不好就不采纳他的好建议。"

【原文】

子贡问曰："有一言而可以终身行之者乎？"子曰："其'恕'乎！己所不欲，勿施于人。"

【译文】

子贡问孔子："有没有一个字可以一生奉行呢？"孔子说："那就是恕吧！自己不愿意的，不要强加给别人。"

【原文】

子曰："吾之于人也，谁毁谁誉？如有所誉者，其有所试矣。斯民也，三代之所以直道而行也。"

【译文】

孔子说："对于他人，我诋毁过谁？我赞美过谁？如果我有所赞美的，他一定经过我的考验。夏、商、周三代的人都是这样的人，所以三代能直道而行。"

【原文】

子曰："吾犹及史之阙文①也。有马者借人乘之②，今亡矣夫！"

【注释】

①阙文：空缺的文字。史官记史，遇到有疑问的地方便缺而不记。

②有马者借人乘之：有马的人自己不会调教，而靠别人训练。

【译文】

孔子说："我还能看到史书中存疑而空缺的地方。自己不会调教自己的马，要靠别人训练，这样的精神，今天应该已经没有了！"

【原文】

子曰："巧言乱德。小不忍则乱大谋。"

【译文】

孔子说："虚伪动听的语言会败坏人的品德。小事不忍，就会坏大事。"

【原文】

子曰："众恶之，必察焉；众好之，必察焉。"

【译文】

孔子说："大家都厌恶他，我必须调查一下；大家都喜欢他，我也必须调查一下。"

【原文】

子曰："人能弘道，非道弘人。"

【译文】

孔子说："人能够使道发扬光大，不是道增加人的才能。"

【原文】

子曰："过而不改，是谓过矣。"

【译文】

孔子说："有了过错不改正，那才真叫错了。"

【原文】

子曰："吾尝终日不食，终夜不寝，以思，无益，不如学也。"

【译文】

孔子说："我曾经整天不吃饭，整夜不睡觉，用来思考学问，但没有什么好处，还不如学习。"

【原文】

子曰："君子谋道不谋食。耕也，馁[①]在其中矣；学也，禄[②]在其中矣。君子忧道不忧贫。"

【注释】

①馁（něi）：饥饿。②禄：俸禄。

【译文】

孔子说："君子只追求道推行道，不追求衣食。耕田，也会饿肚子；学习，也可以获得俸禄。君子只担心道，不担心贫穷。"

【原文】

子曰："知[①]及之[②]，仁不能守之；虽得之，必失之。知及之，仁能守之，不庄以涖之，则民不敬。知及之，仁能守之，庄以涖之，动之不以礼，未善也。"

【注释】

①知：同“智”。②之：指禄位和国家天下。

【译文】

孔子说：“凭借智慧足以得到它，但仁德不能守护它；即使得到它，也会失去它。凭借智慧足以得到它，仁德又可以守护它，但如果不用严正的态度管理人民，人民就会不敬。凭借智慧足以得到它，仁德又可以守护它，再加上用严正的态度治理人民，但差遣人民时不依照礼的要求，那也是不完善的。”

【原文】

子曰：“君子不可小知①而可大受②也，小人不可大受而可小知也。”

【注释】

①小知：做小事情。②大受：承担大任。

【译文】

孔子说：“不能让君子做些小事，但能让他们承担大任。不能让小人承担大任，但可以让他们做些小事。”

【原文】

子曰：“民之于仁也，甚于水火。水火，吾见蹈而死者矣，未见蹈仁而死者也。”

【译文】

孔子说：“百姓需要仁，比需要水和火更迫切。我见过有人跳入水火中而死的，却没有见过实行仁而死的。”

【原文】

子曰：“当仁，不让于师。”

【译文】

孔子说：“在仁德面前，即使是老师，也可以不和他谦让。”

【原文】

子曰："君子贞[1]而不谅[2]。"

【注释】

①贞：正。②谅：信，守信用，这里指小信。

【译文】

孔子说："君子固守正道，而可以不守小信。"

【原文】

子曰："事君，敬其事而后其食[1]。"

【注释】

①食：俸禄。

【译文】

孔子说："侍奉君主，要认真办事，然后才考虑领取俸禄的事。"

【原文】

子曰："有教无类。"

【译文】

孔子说："人人都可以不分族类地接受教育。"

【原文】

子曰："道不同，不相为谋。"

【译文】

孔子说："主张不同，互相不商议。"

【原文】

子曰："辞达而已矣。"

【译文】

孔子说："语言和说辞能表达清楚意思就够了。"

【原文】

师冕[1]见，及阶，子曰："阶也。"及席，子曰："席也。"

皆坐，子告之曰："某在斯，某在斯。"师冕出，子张问曰："与师言之道与？"子曰："然。固相[2]师之道也。"

【注释】

①师冕：乐师。②相：帮助。

【译文】

乐师冕前来拜见孔子，走到台阶上，孔子说："这是台阶。"走到座席旁，孔子说："这是座席。"等大家都坐下来，孔子告诉他："某某在这里，某某在那里。"乐师冕出来后，子张问孔子："这就是与乐师谈话的道吗？"孔子回答："是这样。这就是帮助乐师的道。"

季氏篇第十六

《季氏》包括十四章，主要讲述孔子及其学生们的政治活动、与人相处或结交时应注意的原则、君子的"三戒""三畏""九思"等。

【原文】

季氏将伐颛臾[1]。冉有、季路见于孔子，曰："季氏将有事[2]于颛臾。"孔子曰："求！无乃尔是过与？夫颛臾，昔者先王以为东蒙主[3]，且在邦域之中矣，是社稷之臣也。何以伐为？"冉有曰："夫子欲之，吾二臣者皆不欲也。"孔子曰："求！周任[4]有言曰：'陈力就列[5]，不能者止。'危而不持，颠而不扶，则将焉用彼相[6]矣？且尔言过矣，虎兕[7]出于柙[8]，龟玉毁于椟[9]中，是谁之过与？"冉有曰："今夫颛臾，固而近于费[10]。今不取，后世必为子孙忧。"孔子曰："求！君子疾夫舍曰欲之而必为之辞。丘也闻有国有家者，不患贫而患不均，不患寡而患不安。盖均无贫，和无寡，安无倾。夫如是，故远人不服，则修文德以来之。既来之，则安之。今由与求也，相夫子，远人不服而不能来也，邦分崩离析而不能守也；而谋动干戈于邦内。吾恐季孙之忧，不在颛臾，而在萧墙[11]之内也。”

【注释】

①颛臾：今山东费县西。②有事：指用兵作战。③东蒙主：主持蒙山祭祀的人。④周任：人名，周代史官。⑤陈力就列：按才力担任适当的职务。⑥相：这里是辅助的意思。⑦兕（sì）：雌性犀牛。⑧柙（xiá）：用以关押野兽的木笼。⑨椟（dú）：匣子。⑩费：季氏的采邑。⑪萧墙：指宫廷之内。

【译文】

季氏将要讨伐颛臾。冉有、子路拜见孔子说：“季氏就要攻打颛臾了。”孔子说：“冉求，这难道不是你的过错吗？颛臾，以前周天子曾让它主持东蒙的祭祀，而且它已经地处鲁国的疆域之内，是国家的臣属，为什么要讨伐它呢？”冉有说：“季孙大夫想这样做，我们两个人都不愿意。”孔子说：“冉求，周任有句话说：‘尽自己的力量去胜任你的职务，实在不能胜任最好辞职。’如果有了危险却不去扶助，跌倒了也不去搀扶，那何必用辅助的人呢？况且你说的话错了，老虎、犀牛从笼子里跑出来，龟甲、玉器在匣子里毁坏，这到底是谁的过错呢？”冉有说：“如今颛臾城墙坚固，又靠近费邑。如果现在不把它夺取过来，将来一定会成为子孙的忧患。”孔子说：“冉求，君子厌恶那些不肯实说自己想要那样做却又一定要找借口来辩解的做法。我听说，对于诸侯和大夫，不怕贫穷，而怕财富分不均；不怕人口少，而怕社会不安定。由于财富分均了，也就没有所谓贫穷；大家都和睦相处，也就不会感到人少；社会安定了，国家就没有被倾覆的危险。如果像这样做，远方的人还不归服，就用仁、义、礼、乐来使他们归服。已经来了，就让他们安心住下去。如今，仲由和冉求你们两个人辅助季氏，远方的人不归服，而不能招徕他们；国内民心离散，你们也不能使人心归一，反而策划在国内使用武力。我只怕季孙的忧患不在颛臾，而是在鲁国的内部呢。”

【原文】

孔子曰：“天下有道，则礼乐征伐自天子出；天下无道，则礼乐征伐自诸侯出。自诸侯出，盖十世希不失矣；自大夫出，五世希不失矣；陪臣执国命，三世希不失矣。天下有道，则政不在大夫。天下有道，则庶人不议。”

【译文】

孔子说：“天下有道的时候，制作礼乐和出兵打仗这样的事情，都是由天子决定的；天下无道的时候，制作礼乐和出兵打仗这样的事情就变成由诸侯来做主了。由诸侯做主，国家大概经过十代就基本垮台了；由大夫做主，国家经过五代也基本垮台了；由家臣操纵了国家政令，国家经过三代就基本垮台了。天下有道，国家政权就不会落在大夫手中。天下有道，老百姓就不会讨论国家政治了。”

【原文】

孔子曰：“禄之去公室五世①矣，政逮②于大夫四世③矣，故夫三桓④之子孙微矣。”

【注释】

①五世：指鲁国宣公、成公、襄公、昭公、定公五世。②逮：及。③四世：指季孙氏文子、武子、平子、桓子四世。④三桓：鲁国仲孙、叔孙、季孙都出于鲁桓公，所以叫三桓。

【译文】

孔子说：“鲁君没有掌握国家政权已经五代了，政权由大夫掌握也已经四代了，所以三桓的子孙也凋敝了。”

【原文】

孔子曰：“益者三友，损者三友：友直，友谅[①]，友多闻，益矣；友便辟[②]，友善柔[③]，友便佞[④]，损矣。”

【注释】

①谅：诚信。②便辟：惯于走邪道。③善柔：善于和颜悦色骗人。④便佞：惯于花言巧语。

【译文】

孔子说：“有益的朋友有三种，有害的朋友也有三种：和正直的人交友，和诚信的人交友，和见多识广的人交友，这是有益的；和惯于走歪路的人交朋友，和善于阿谀奉承的人交朋友，和惯于花言巧语的人交朋友，这是有害的。”

【原文】

孔子曰：“益者三乐，损者三乐：乐节礼乐[①]，乐道人之善，乐多贤友，益矣；乐骄乐[②]，乐佚[③]游，乐宴乐[④]，损矣。”

【注释】

①节礼乐：孔子主张用礼乐来节制人。②骄乐：骄纵不知节制的乐。③佚：通“逸”。④乐宴乐：指沉溺于宴饮取乐。

【译文】

孔子说：“有益的喜好有三种，有害的喜好有三种：把用以节制自己的礼乐作为喜好，把赞扬别人的善举作为喜好，把结交很多贤良的朋友作为喜好，这是有益的；喜好骄纵，喜欢闲游，喜欢宴饮取乐，这是有害的。”

【原文】

孔子曰：“侍于君子有三愆[①]：言未及之而言谓之躁，言及之而不言谓之隐，未见颜色而言谓之瞽[②]。”

【注释】

①愆（qiān）：过失。②瞽（gǔ）：盲人，此处引申为盲目。

【译文】

孔子说："侍奉君子要注意避免犯三种错误：没有问你话的时候说话，这叫浮躁；已经问你话的时候你却不说，这叫掩饰；不看君子的脸色而贸然说话，这叫盲目。"

【原文】

孔子曰："君子有三戒：少之时，血气未定，戒之在色；及其壮也，血气方刚，戒之在斗；及其老也，血气既衰，戒之在得。"

【译文】

孔子说："君子有三件事情要引以为戒：年少时候，血气未成熟，要戒女色；到了身体强壮的时候，精力旺盛，要戒与人争斗；等到老年，血气削弱，要戒贪心。"

【原文】

孔子曰："君子有三畏：畏天命，畏大人，畏圣人之言。小人不知天命而不畏也，狎大人，侮圣人之言。"

【译文】

孔子说："君子有三件事情要敬畏：敬畏天命，敬畏地位高贵的人，敬畏圣人的话。小人不懂天命，因而也不知道敬畏天命，轻视地位高贵的人，辱没圣人的言论。"

【原文】

孔子曰："生而知之者，上也；学而知之者，次也；困而学之，又其次也；困而不学，民斯为下矣！"

【译文】

孔子说："生来就知道的人，是上等人；通过学习才知道的人，是次一等的人；遇到困难再去学习的人，是再次一等的人；遇到困难还不学习的人，就是下等的人了。”

【原文】

孔子曰：“君子有九思：视思明，听思聪，色思温，貌思恭，言思忠，事思敬，疑思问，忿思难，见得思义。”

【译文】

孔子说：“君子需要思考九件事：思考是否看明白；是否听清楚；自己的脸色是否温和；容貌是否谦逊；言谈是否忠诚；办事是否谨慎；遇到疑问，是否应该向别人请教；恼怒时，考虑是否有后患；获取财利时，思考是否符合道义。”

【原文】

子曰：“见善如不及，见不善如探汤。吾见其人矣，吾闻其语矣。隐居以求其志，行义以达其道。吾闻其语矣，未见其人也。”

【译文】

孔子说：“看到善良的行为，就担心自己不能做到；看到丑恶的行动，就像把手伸到开水中一样赶快躲开。我见过这样的人，也听过这样的话。用隐居避世来顾全自己的志向，遵照义而行动去贯彻自己的主张。我听过这种话，却没有见过这样的人。”

【原文】

齐景公有马千驷，死之日，民无德而称焉。伯夷叔齐饿于首阳之下，民到于今称之。其斯之谓与？

【译文】

齐景公有四千匹马，死的那天，百姓们却觉得他没有什么德行值得称颂。伯夷、叔齐在首阳山下饿死，直到现在百姓们还在称颂他们。说的就是这个意思吧？

【原文】

陈亢[①]问于伯鱼曰：“子亦有异闻[②]乎？”对曰：“未

也。尝独立，鲤趋而过庭。曰：‘学诗乎？’对曰：‘未也。’‘不学诗，无以言。’鲤退而学诗。他日，又独立，鲤趋而过庭。曰：‘学礼乎？’对曰：‘未也。’‘不学礼，无以立。’鲤退而学礼。闻斯二者。”陈亢退而喜曰：“问一得三：闻诗，闻礼，又闻君子之远③其子也。”

【注释】

①陈亢：陈子禽。②异闻：这里指不同于对其他学生所讲的内容。③远：不亲近，不偏爱。

【译文】

陈亢问伯鱼：“在老师那里你听到过什么特别的传授吗？”伯鱼回答说：“没有呀。有一次他一个人站在堂上，我快步从庭里走过，他问我：‘学诗经了吗？’我回答说：‘没有。’他说：‘不学习诗经，就不会说话。’我就回去学诗经。又有一天，他又独自站在堂上，我快步从庭里走过，他又问：‘学礼了吗？’我回答说：‘没有。’他说：‘不学礼，就不知如何立身。’我就回去学礼。我就听到过这两件事。”陈亢回去后高兴地说：“我只提了一个问题，却得到三方面的获益，听了关于诗经的道理，听了关于礼的道理，又听了君子不偏心自己儿子的道理。”

【原文】

邦君之妻，君称之曰夫人，夫人自称曰小童；邦人称之曰君夫人，称诸异邦曰寡小君；异邦人称之，亦曰君夫人。

【译文】

国君的妻子，国君称她为夫人，夫人自称是小童；国人称她为君夫人，对他国人则称她为寡小君；他国人也称她为君夫人。

阳货篇第十七

《阳货》共二十六章，主要介绍孔子的道德教育思想，孔子对仁的深入挖掘，以及为父母守丧三年的问题，并谈到君子与小人的区别等。

【原文】

阳货[①]欲见孔子，孔子不见，归孔子豚[②]。孔子时其亡[③]也，而往拜之，遇诸涂[④]。谓孔子曰："来！予与尔言。"曰："怀其宝而迷其邦[⑤]，可谓仁乎？曰：不可。好从事而亟[⑥]失时，可谓知乎？曰：不可。日月逝矣，岁不我与[⑦]。"孔子曰："诺。吾将仕矣。"

【注释】

①阳货：又叫阳虎，季氏的家臣。②归孔子豚：送给孔子一头小猪。归（kuì），通"馈"，赠送。豚，小猪。③时其亡：等他外出的时候。④遇诸涂：在路上遇到了他。⑤迷其邦：听任国家迷乱。⑥亟：屡次。⑦与：在一起，这里指等待。

【译文】

阳货想要见孔子，孔子不见，他便送给孔子一头小猪（想要孔子去拜见他）。孔子故意在阳货不在家时去阳货家拜谢，没想到却在半路上相遇了。阳货对孔子说："过来，我有话对你说。"阳货说："把自己的本事藏起来却任由国家错乱，这可以叫作仁吗？不可以吧。喜欢参与政事却屡次错过机会，这可以说是智慧吗？不可以吧。时间一天天过去，岁月不等人啊！"孔子说："好吧，我这就要去做官了。"

【原文】

子曰："性相近也，习相远也。"

【译文】

孔子说："人的本性是相似的，因为后天的学习才有了不同。"

【原文】

子曰："唯上知与下愚不移。"

【译文】

孔子说："只有上等的智者与下等的愚者是没法改变的。"

【原文】

子之武城[1]，闻弦歌[2]之声。夫子莞尔而笑曰："割鸡焉用牛刀？"子游对曰："昔者偃也闻诸夫子曰：'君子学道则爱人，小人学道则易使也。'"子曰："二三子！偃之言是也。前言戏之耳！"

【注释】

①武城：鲁国的一个小城，当时子游是武城宰。②弦歌：以琴瑟伴奏歌唱。弦，指琴瑟。

【译文】

孔子到了武城，听见弹琴唱歌的声音。孔子笑着说："杀鸡为什么要用宰牛的刀呢？"子游回答说："我以前听先生说过：'君子如果学习了礼乐，就能爱人；小人如果学习了礼乐，就容易被差遣。'"孔子说："弟子们，言偃的话是正确的。我刚才说的，只是个玩笑而已。"

【原文】

公山弗扰[1]以费畔，召，子欲往。子路不说，曰："末之也已[2]，何必公山氏之之也[3]？"子曰："夫召我者而岂徒[4]哉？如有用我者，吾其为东周[5]乎！"

【注释】

①公山弗扰：人名，又称公山不狃，字子洩，季氏的家臣。②末之也

已：无处可去就算了吧。末，无。之，到、往。已，止，算了。③之之也：去到。第一个“之”字是助词，后一个“之”字是动词。④徒：徒然，空无所据。⑤为东周：建造一个东方的周王朝，在东方复兴周礼。

【译文】

公山弗扰因为费邑的反叛，召见孔子，孔子打算去。子路不高兴，说：“如果无处可去就算了，为什么一定要去公山弗扰那里呢？”孔子说：“他召唤我去，难道只是一句空话吗？若是有人用我，我就打算在东方复兴周礼，建一个东方的西周。”

【原文】

子张问仁于孔子。孔子曰：“能行五者于天下，为仁矣。”“请问之。”曰：“恭、宽、信、敏、惠。恭则不侮，宽则得众，信则人任焉，敏则有功，惠则足以使人。”

【译文】

子张向孔子问什么是仁。孔子说：“能随时随地践行五种品德，就是仁人了。”子张说：“哪五种呢？”孔子说：“庄严、宽宏、真诚、勤奋、慈惠。庄严就不会遭到侮辱，宽宏就会得到他人的拥护，真诚就能被任用，勤奋就会提高工作效率，慈惠就能够差遣人。”

【原文】

佛肸①召，子欲往。子路曰：“昔者由也闻诸夫子曰：‘亲于其身为不善者，君子不入也。’佛肸以中牟②畔，子之往也，如之何？”子曰：“然。有是言也。不曰坚乎，磨而不磷③；不曰白乎，涅④而不缁⑤。吾岂匏瓜⑥也哉？焉能系⑦而不食？”

【注释】

①佛肸（bì xì）：晋国大夫范氏家臣，中牟城地方官。②中牟：约在今河北邢台与邯郸之间。③磷：损伤。④涅：可用作颜料染衣服的矿物

质。⑤缁（zī）：黑色。⑥匏瓜：葫芦的一种。⑦系：结。

【译文】

佛肸召唤孔子，孔子打算前去。子路说："我从前听先生说过：'亲自做坏事的人那里，君子是不去的。'现在佛肸在中牟反叛，你却要去，这是为何？"孔子说："是的。我曾经说过这样的话。不是说坚实的东西不会磨坏吗？不是说皎洁的东西不会被染黑吗？难道我只是个苦味的葫芦？怎么能只挂在那里却不给人享用呢？"

【原文】

子曰："由也，女闻六言六蔽矣乎？"对曰："未也。""居①！吾语女。好仁不好学，其蔽也愚②；好知不好学，其蔽也荡③；好信不好学，其蔽也贼④；好直不好学，其蔽也绞⑤；好勇不好学，其蔽也乱；好刚不好学，其蔽也狂。"

【注释】

①居：坐。②愚：受人愚弄。③荡：放荡。④贼：害。⑤绞：说话尖刻。

【译文】

孔子说："由呀，你听说过六种品德和六种弊病吗？"子路说："没有。"孔子说："坐下，让我告诉你。爱好仁德却不爱学习，它的弊病是遭人戏弄；爱好智慧却不爱学习，它的弊病是言行放荡；爱好诚信却不爱学习，它的弊病是危害亲人；爱好率直却不爱学习，它的弊病是说话刻薄；爱好勇敢却不爱学习，它的弊病是作奸犯科；爱好刚强却不爱学习，它的弊病是狂妄自大。"

【原文】

子曰："小子！何莫学夫《诗》。《诗》，可以兴①，可以观②，可以群③，可以怨④。迩⑤之事父，远之事君。多识于鸟兽草木之名。"

【注释】

①兴：激发感情。②观：观察了解天地万物与人间万象。③群：合群。④怨：讽谏上级，怨而不怒。⑤迩（ěr）：近。

【译文】

孔子说："学生们！为什么不学《诗》呢？学《诗》可以激发感情，可以观察天地万物及人间的兴亡，可以使人学习与人融洽相处，可以让人学得讽刺的方法。近可用来奉养父母，远可用来侍奉君主。甚至还可以多知道一些鸟兽草木的名字。"

【原文】

子谓伯鱼曰："女为《周南》《召南》①矣乎？人而不为《周南》《召南》，其犹正墙面而立②也与？"

【注释】

①《周南》《召南》：《诗经·国风》中的第一、第二两部分篇名。这是当地的民歌。②正墙面而立：面向墙壁站立着。

【译文】

孔子问伯鱼："你学习《周南》《召南》了吗？如果一个人不学习《周南》《召南》，那岂不是像面对墙壁站着一样？"

【原文】

子曰："礼云礼云，玉帛云乎哉？乐云乐云，钟鼓云乎哉？"

【译文】

孔子说："礼呀礼呀，难道只是玉帛之类的礼器吗？乐呀乐呀，难道只是指钟鼓之类的乐器吗？"

【原文】

子曰："色厉而内荏①，譬诸小人，其犹穿窬②之盗也与？"

【注释】

①色厉而内荏：外表严厉而内心虚弱。②窬（yú）：洞。

【译文】

孔子说："外表强硬但内心忐忑，用小人作比喻，就像是挖墙洞的盗贼吧？"

【原文】

子曰："乡愿，德之贼也！"

【译文】

孔子说："貌似忠厚但没有是非准则的人，就是毁坏道德的人。"

【原文】

子曰："道听而涂说，德之弃也！"

【译文】

孔子说："在路上听到传言就四处传播，这是道德所鄙弃的。"

【原文】

子曰："鄙夫可与事君也与哉？其未得之也，患不得之。既得之，患失之。苟患失之，无所不至矣。"

【译文】

孔子说："能和小人一起侍奉君主吗？在他没有官位时，总担心爬不上去。而一旦得到官位，又害怕失去它。如果他担心丢掉官职，那他就什么事都干得出来。"

【原文】

子曰："古者民有三疾，今也或是之亡也。古之狂①也肆②，今之狂也荡③；古之矜也廉④，今之矜也忿戾⑤；古之愚也直，今之愚也诈而已矣。"

【注释】

①狂：狂妄自大。②肆：放肆，不拘礼节。③荡：放荡，不守礼。④廉：不可触犯。⑤戾：火气太大，蛮横不讲理。

【译文】

孔子说："古人有三种毛病，现在或许没有这样的毛病了。古代的狂妄者只是愿望太高，而现在的狂妄者却是放荡而不拘礼节；古代骄傲的人只是难以相处，现在那些骄傲的人却是凶神恶煞；古代愚笨的人只是直率一些，现在的愚笨者却是狡诈啊！"

【原文】

子曰："巧言令色，鲜矣仁。"①

【注释】

①此处与《学而》重出。

【译文】

孔子说："花言巧语，装作和颜悦色，这种人，仁心很少。"

【原文】

子曰："恶紫之夺朱也，恶郑声之乱雅乐也，恶利口之覆邦家者。"

【译文】

孔子说："我讨厌用紫色代替红色，讨厌用郑国的声乐扰乱雅乐，讨厌用伶牙俐齿来颠覆国家这样的事情。"

【原文】

子曰："予欲无言。"子贡曰："子如不言，则小子何述焉？"子曰："天何言哉？四时行焉，百物生焉，天何言哉？"

【译文】

孔子说："我不想说话了。"子贡说："如果您闭口不说话，那么我们这些学生还传达转述什么知识呢？”孔子说：“天又何尝说话？四季运行，万物生长。天又说了什么吗？”

【原文】

孺悲[①]欲见孔子，孔子辞以疾。将命者出户，取瑟而歌，使之闻之。

【注释】

①孺悲：鲁国人，鲁哀公曾派他向孔子学礼。

【译文】

孺悲想要见孔子，孔子推辞不见，称自己生病了。但传话的人刚出门，他就取来瑟边弹边唱，故意让孺悲听到。

【原文】

宰我问：“三年之丧，期已久矣。君子三年不为礼，礼必坏；三年不为乐，乐必崩。旧谷既没，新谷既升，钻燧改火[①]，期[②]可已矣。”子曰：“食夫稻[③]，衣夫锦，于女安乎？”曰：“安。”“女安，则为之！夫君子之居丧，食旨[④]不甘，闻乐不乐，居处不安，故不为也。今女安，则为之！”宰我出。子曰：“予之不仁也！子生三年，然后免于父母之怀。夫三年之丧，天下之通丧也。予也有三年之爱于其父母乎？”

【注释】

①钻燧改火：古人钻木取火，四季所用木头不同，每年轮一遍，叫改火。②期（jī）：一年。③食夫稻：这里指吃好的。④旨：吃好的食物。

【译文】

宰我问孔子：“三年的服丧期，时间有点太长了。君子三年不探究礼仪，礼仪一定会败坏；三年不奏音乐，音乐一定会失传。旧谷吃完，新谷又出来了，钻燧取火的木头在一年的时间里都轮过了一遍，所以服丧一年就够了。”孔子说：“服丧一年，你就开始吃大米饭，穿绫罗绸缎，你安心吗？”宰我说：“我安心。”孔子说：“你安心，那你就按照那样去做吧！君子守丧期间，吃美味但不觉得好吃，听音乐也不觉得高兴，住在家里并不觉得安逸，所以才不那样做。既然你觉得安心，你就那样去做吧！”宰我走后，孔子说：“宰予真是不仁啊！孩子生下来，到三岁时方能离开父母的怀抱。服丧三年，这是社会流行的丧礼制度。难道宰予对他的父母的爱还没有三年吗？”

【原文】

子曰：“饱食终日，无所用心，难矣哉！不有博弈者乎？为之犹贤乎已。”

【译文】

孔子说：“整天吃饱了饭，什么事情也不用心，真不容易啊！不是还可以下棋吗？也可以干这个。”

【原文】

子路曰：“君子尚勇乎？”子曰：“君子义以为上。君子有勇而无义为乱，小人有勇而无义为盗。”

【译文】

子路说：“君子推崇勇敢吗？”孔子回答道：“君子把义作为最高的标准。君子勇敢无畏却没有义就会作乱，小人勇敢无畏却没有义就会偷盗。”

【原文】

子贡曰：“君子亦有恶①乎？”子曰：“有恶：恶称人之恶者，恶居下流②而讪③上者，恶勇而无礼者，恶果敢而窒④者。”曰：“赐也亦有恶乎？”“恶徼⑤以为知⑥者，恶不孙⑦以为勇者，恶讦⑧以为直者。”

【注释】

①恶（wù）：厌恶。②下流：下等的。③讪（shàn）：诽谤。④窒：

不通事理，顽固不化。⑤徼（jiǎo）：抄袭。⑥知：同“智”。⑦孙：同“逊”。⑧讦（jié）：攻击、揭发别人。

【译文】

子贡说：“君子也有讨厌的事吗？”孔子说：“有讨厌的事：讨厌说别人坏话的人，讨厌身居下位而诽谤上位者的人，讨厌勇敢而无礼的人，讨厌固执而又不通情达理的人。”孔子又说：“赐，你也有讨厌的事吗？”子贡说：“讨厌偷别人的成绩来表明自己智慧的人，讨厌把无礼当作勇敢的人，讨厌揭发他人而自认为正直的人。”

【原文】

子曰：“唯女子与小人为难养也，近之则不孙，远之则怨。”

【译文】

孔子说：“只有女子和小人是难以教养的，亲近他们，他们就会无礼；疏远他们，他们又会抱怨。”

【原文】

子曰：“年四十而见恶焉，其终也已。”

【译文】

孔子说：“如果一个人到四十岁还被人讨厌，那他这一生也就完了。”

微子篇第十八

《微子》共计十一章，主要讲述孔子的政治思想主张，孔子的学生与老农谈论孔子、孔子关于塑造独立人格的思想等内容。

【原文】

微子[1]去之，箕子[2]为之奴，比干[3]谏而死。孔子曰："殷有三仁焉。"

【注释】

①微子：殷纣王的同母兄长，见纣王无道，劝他不听，遂离开纣王。②箕（jī）子：殷纣王的叔父。他去劝纣王，见纣王不听，便披发装疯，被降为奴隶。③比干：殷纣王的叔父，屡次强谏，激怒纣王而被杀。

【译文】

纣王残暴，微子便离开他，箕子做了他的奴隶，比干劝诫却被杀死。孔子说："这是殷朝的三位仁人啊！"

【原文】

柳下惠为士师[1]，三黜[2]。人曰："子未可以去乎？"曰："直道而事人，焉往而不三黜？枉道而事人，何必去父母之邦？"

【注释】

①士师：典狱官，掌管刑狱。②黜：罢免不用。

【译文】

柳下惠当典狱官，被罢免多次。有人说："你难道不能离开鲁国吗？"柳下惠说："按正道侍奉君主，到哪里不都会被多次罢免吗？如果不按正道侍奉君主，又为何一定要离开本国呢？"

【原文】

齐景公待孔子，曰："若季氏，则吾不能，以季、孟之间待之。"曰："吾老矣，不能用也。"孔子行。

【译文】

齐景公在讲到对待孔子的礼节时，说："如果要像鲁君对待季氏那样对待孔子，我做不到，我用介于季氏、孟氏之间的待遇对待他。”又说：“我老了，不能起用孔子了。”孔子便离开了齐国。

【原文】

齐人归①女乐，季桓子②受之，三日不朝。孔子行。

【注释】

①归：通“馈”，赠送。②季桓子：鲁国宰相季孙斯。

【译文】

齐国人送给鲁国一些歌女，季桓子接受了，多日不上朝。于是孔子便离开了。

【原文】

楚狂接舆①歌而过孔子曰：“凤兮！凤兮！何德之衰？往者不可谏，来者犹可追。已而！已而！今之从政者殆而！”孔子下，欲与之言。趋而辟之，不得与之言。

【注释】

①楚狂接舆：一说楚国叫接舆的狂人。

【译文】

接舆是楚国的狂人，他唱着歌路过孔子的车，他唱道：“凤凰啊凤凰！你的运气怎么这么差呢？过去的已经无法挽回，未来的或许还来得及改正。算了吧！算了吧！今天的执政者危险啊！”孔子下车，想同他谈谈。他却赶紧走了，孔子没能与他说上话。

【原文】

长沮、桀溺①耦而耕②，孔子过之，使子路问津③焉。长沮曰：“夫执舆④者为谁？”子路曰：“为孔丘。”曰：“是鲁孔丘与？”曰：“是也。”曰：“是知津矣。”问于桀溺。桀溺曰：“子为谁？”曰：“为仲由。”曰：“是鲁孔丘之徒与？”对曰：“然。”曰：“滔滔者天下皆是也，而谁以易之[5]？且而与其从辟[6]人之士也，岂若从辟世之士哉？”耰[7]而不辍。子路行以告。夫子怃然[8]曰：“鸟兽不可与同群，吾非斯人之徒与而谁与？天下有道，丘不与易也。”

【注释】

①长沮、桀溺：两位隐士，真实姓名和身世不详。②耦而耕：两个人合力耕作。③问津：寻问渡口。④执舆：执辔。⑤之：与。⑥辟：同“避”。⑦耰（yōu）：用土覆盖种子。⑧怃然：怅然。

【译文】

长沮、桀溺在一起耕种，孔子路过，让子路去打听渡口在哪里。长沮问子路：“那个拿着缰绳的是谁？”子路回答：“是孔丘。”长沮又问：“是鲁国的孔丘吗？”子路说：“是的。”长沮说：“那他早就知道渡口在哪里了。”子路又去问桀溺。桀溺问：“你是谁？”子路回答：“我是仲由。”桀溺又问：“你是鲁国孔丘的门徒吗？”子路说：“是的。”桀溺说：“如今坏东西像洪水一样到处都是，你们要和谁去改变呢？你与其跟着躲避人的人，难道能比上跟着我们这些躲避社会的人呢？”说完，仍旧不停地在田里干活。子路回来后把情况报告给孔子。孔子很失望地说：“人是不可能与飞禽走兽相处的，如果不与世上的人打交道，还能和谁打交道呢？如果天下太平，我就不会与你们一起从事改革了。”

【原文】

子路从而后，遇丈人，以杖荷蓧[1]。子路问曰：“子见夫子乎？”丈人曰：“四体不勤，五谷不分[2]，孰为夫子？”植其杖而芸。子路拱而立。止子路宿，杀鸡为黍[3]而食[4]之，见其二子焉。明日，子路行以告。子曰：“隐者也。”使子路反见之。至则行矣。子路曰：“不仕无义。长幼之节，不可废也；君臣之义，如之何其废之？欲洁其身，而乱大伦。君子之仕也，行其义也。道之不行，已知之矣。”

【注释】

①蓧：古代耘田所用的竹器。②四体不勤，五谷不分：我忙于播种五谷，没有闲暇，怎知你夫子是谁？一说这是丈人指自己。不，语气词。③黍（shǔ）：黏小米。④食（sì）：拿东西给人吃。

【译文】

子路跟随孔子出行，落在后面，遇到一个老人，用拐杖挑着除草的工具。子路问他："您看到我的老师了吗？"老丈说："我不停地劳作，还来不及播种五谷，哪里顾得上谁是你的老师？"说完，便开始拄着拐杖除草。子路拱手恭敬地站在一边。老丈留子路住宿，杀鸡，还做了小米饭给他吃，又叫他的两个儿子出来与子路见面。第二天，子路赶上孔子，告诉了他这件事。孔子说："这是一个隐士啊。"叫子路返回去再看看他。子路到了那里，老丈却走了。子路说："不做官是不合理的。长幼间的关系是不能废除的，君臣间的关系又怎能废弃呢？想要不玷污自身清白，却忽视了根本的君臣伦理关系。君子做官，是为了实行君臣之义的。至于道不能通行，我早就知道了。"

【原文】

逸[①]民：伯夷、叔齐、虞仲、夷逸、朱张、柳下惠、少连[②]。子曰："不降其志，不辱其身，伯夷、叔齐与！"谓："柳下惠、少连，降志辱身矣。言中伦，行中虑，其斯而已矣。"谓："虞仲、夷逸，隐居放[③]言。身中清，废中权。""我则异于是，无可无不可。"

【注释】

①逸：遗弃。②虞仲、夷逸、朱张、少连：此四人身世无从考，当是没落贵族。③放：放肆。

【译文】

被遗落的人有伯夷、叔齐、虞仲、夷逸、朱张、柳下惠、少连。孔子说："不降低自己的意志，不侮辱自己的身份，这就是伯夷、叔齐吧！"又说："柳下惠、少连被迫降低自己的意志，被迫侮辱自己的身份，但说话合情合理，行为顺乎人心。"又说："虞仲、夷逸过着隐居的生活，说话虽然很随便，但能洁身自好，离开官位合乎当时的情况。""我却和这些人不一样，可以这样做，也可以那样做。"

【原文】

大师挚①适齐，亚饭干适楚，三饭缭适蔡，四饭缺②适秦。鼓方叔③入于河，播鼗④武入于汉，少师⑤阳、击磬襄⑥入于海。

【注释】

①大师挚：大师是鲁国乐官之长，挚是人名。②亚饭、三饭、四饭：都是乐官名。干、缭、缺是人名。③鼓方叔：击鼓的乐师，名方叔。④鼗（táo）：小鼓。⑤少师：副乐师。⑥击磬襄：击磬的乐师，名襄。

【译文】

乐师挚去了齐国，亚饭干去了楚国，三饭缭去了蔡国，四饭缺去了秦国。打鼓的方叔到黄河边了，敲小鼓的武到汉水边了，少师阳和击磬的襄到海滨去了。

【原文】

周公谓鲁公①曰："君子不施②其亲，不使大臣怨乎不以③。故旧无大故，则不弃也。无求备于一人。"

【注释】

①鲁公：指周公的儿子伯禽，封于鲁。②施：通"弛"，怠慢。③以：用。

【译文】

周公对鲁公说："君子不疏离他的亲属，不会让大臣们抱怨不任用他们。不会抛弃没有大过失的旧友老臣，不会对某一人求全责备。"

【原文】

周有八士[①]：伯达、伯适、伯突、仲忽、叔夜、叔夏、季随、季騧。

【注释】

①八士：本章中所说八士已不可考。

【译文】

周代有八位士人：伯达、伯适、伯突、仲忽、叔夜、叔夏、季随、季騧。

子张篇第十九

本篇共计二十五章，都是孔子学生的言论。本篇的内容既有君子士人的学习、品行、立身行事等内容，也有同门之间的相互交流。

【原文】

子张曰："士见危致命，见得思义，祭思敬，丧思哀，其可已矣。"

【译文】

子张说："士在遇见危险的时候，能献出自己的生命；看见有利可图时，能考虑是否依照道义行事；祭祀时，能想到严肃恭敬；居丧时，想到哀伤，这样就够了。"

【原文】

子张曰："执德不弘，信道不笃，焉能为有？焉能为亡？"

【译文】

子张说："实行德而不能将它发扬光大，信仰道却不忠实坚定，怎么能说他有，又怎么能说他没有呢？”

【原文】

子夏之门人问交于子张。子张曰：“子夏云何？”对曰：“子夏曰：‘可者与之，其不可者拒之。’”子张曰：“异乎吾所闻：君子尊贤而容众，嘉善而矜不能。我之大贤与，于人何所不容？我之不贤与，人将拒我，如之何其拒人也？”

【译文】

子夏的学生向子张询问如何结交朋友。子张说：“子夏是怎么说的？”回答道：“子夏说：‘值得相交的就和他交朋友，不值得相交的就要拒绝和他交朋友。’”子张说：“我听到的和这些不同：君子既尊重贤能的人，也能容纳普通的人；能赞美有善举的人，也能同情能力不够的人。如果我是一个贤良的人，那我有什么不能容纳别人的呢？如果我不贤良，人家自然会拒绝我，又怎么谈得上拒绝人家呢？”

【原文】

子夏曰：“虽小道①，必有可观者焉；致远恐泥②，是以君子不为也。”

【注释】

①小道：指各种农、工、商、医卜之类的技能。②泥：阻滞。

【译文】

子夏说：“虽然这些都是小的技能，但也有可取的地方；若想用它来达到远大目标就不行了，因此君子才不从事它。”

【原文】

子夏曰：“日知其所亡，月无忘其所能，可谓好学也已矣。”

【译文】

子夏说：“每天都学一些过去不知道的东西，每月都不忘记已学会的东西，这就可以认为是好学了。”

【原文】

子夏曰：“博学而笃志①，切问②而近思，仁在其中矣。”

【注释】

①志：识，此指强记。②切问：问与切身有关的问题。

【译文】

子夏说：“博览群书、广泛学习，记得牢固，对切身有关的问题提出疑问并认真思考，仁就在其中了。”

【原文】

子夏曰：“百工居①肆②以成其事，君子学以致其道。”

【注释】

①百工：各行各业的工匠。②肆：古代社会制作物品的作坊。

【译文】

子夏说：“各行各业的工匠在作坊里完成工作，君子通过学习来掌握道。”

【原文】

子夏说：“小人之过也必文。”

【译文】

子夏说：“小人一定会掩饰他犯的过错。”

【原文】

子夏曰：“君子有三变：望之俨然，即之也温，听其言也厉。”

【译文】

子夏说：“君子有三变：远远看他，庄严可怕；接近他，温和可亲；听他说话，言辞严厉。”

【原文】

子夏曰：“君子信而后劳其民；未信，则以为厉己也。

信而后谏；未信，则以为谤己也。”

【译文】

子夏说：“君子须在取得信任之后才去役使百姓；如果没有建立信用，百姓就会认为在虐待他们。要先取得信任，然后才去提出意见；如果没有建立信用，听者就会认为你在诽谤。”

【原文】

子夏曰：“大德①不逾闲②，小德出入可也。”

【注释】

①大德：指大节，与其后“小德”相对。②闲：木栏，这里指界限。

【译文】

子夏说：“大节上不能超越界限，小节上却可以允许有些出入。”

【原文】

子游曰：“子夏之门人小子，当洒扫、应对、进退，则可矣，抑①末也。本之则无，如之何？”子夏闻之，曰：“噫！言游过矣！君子之道，孰先传焉？孰后倦②焉？譬诸草木，区以别矣。君子之道，焉可诬③也？有始有卒者，其惟圣人乎！”

【注释】

①抑：不过。②倦：诲人不倦。③诬：欺骗。

【译文】

子游说：“子夏的学生，做些打扫卫生和迎送客人的事是可以的，这些不过是末枝小事。但根本的东西没有学到，这怎么行呢？”子夏听这话，说：“唉！子游不对！传授君子之道，先教哪一条，后教哪一条呢？这就像草和木一样，都是分类区别的。怎么可以随意歪曲君子之道，欺骗学生呢？能按次序有始有终地教授学生，恐怕只有圣人吧！”

【原文】

子夏曰：“仕而优①则学，学而优则仕。”

【注释】

①优：有余力。

【译文】

子夏说：“做官游刃有余的人，可以去学习；学习游刃有余的人，就可以去做官。”

【原文】

子游曰：“丧致①乎哀而止。”

【注释】

①致：极致，竭尽。

【译文】

子游说：“丧事做到尽哀就可以了。”

【原文】

子游曰：“吾友张也，为难能也，然而未仁。”

【译文】

子游说：“我的朋友子张可以说是很难得的了，但还没有做到仁。”

【原文】

曾子曰：“堂堂乎张也，难与并为仁矣。”

【译文】

曾子说：“子张相貌堂堂，很难和他一起做到仁。”

【原文】

曾子曰：“吾闻诸夫子：人未有自致者也，必也亲丧乎！”

【译文】

曾子说：“我听老师曾经说过：人不可能自主地充分发挥

感情，如果有，一定是在父母死亡的时候。”

【原文】

曾子曰：“吾闻诸夫子：孟庄子①之孝也，其他可能也；其不改父之臣与父之政，是难能也。”

【注释】

①孟庄子：鲁国大夫仲孙速。

【译文】

曾子说：“我听老师说过，孟庄子的孝，其他人都可以做到；但他在父亲死后，不替换父亲的旧臣及其政治措施，这个别人就很难做到了。”

【原文】

孟氏使阳肤①为士师，问于曾子。曾子曰：“上失其道，民散久矣。如得其情，则哀矜②而勿喜。”

【注释】

①阳肤：曾子的学生。②矜：怜悯。

【译文】

孟氏任命阳肤做典狱官，阳肤向曾子请教。曾子说：“如果在上位的人离开了正道，百姓早就散了。你若能了解他们的情况，就应当可怜他们，而不要以此为乐。”

【原文】

子贡曰：“纣①之不善，不如是之甚也。是以君子恶居下流②，天下之恶皆归焉。”

【注释】

①纣：商代最后一个君主，历来被认为是暴君。②下流：即地形低洼、各处来水汇集的地方。

【译文】

子贡说：“纣王的不善，没有传说的那样厉害。所以君子讨厌处在下流的地方，一居下流，则会把天下一切坏名声都归结到他身上。”

【原文】

子贡曰：“君子之过也，如日月之食焉：过也，人皆见之；更也，人皆仰之。”

【译文】

子贡说：“君子的过错好比日食、月食：他犯的错，大家都能看见；他改正过错，人们都仰望他。”

【原文】

卫公孙朝①问于子贡曰：“仲尼②焉学？”子贡曰：“文、武之道，未坠于地，在人。贤者识其大者，不贤者识其小者。莫不有文、武之道焉。夫子焉不学？而亦何常师之有？”

【注释】

①卫公孙朝：卫国的大夫公孙朝。②仲尼：孔子的字。

【译文】

卫国的公孙朝向子贡请教：“仲尼的学问是从哪里来的呢？”子贡说：“周文王、周武王的道，并没有失传，还留在人们中间。贤能的人能辨别大的方向，不贤的人却只能了解它的枝节。没有什么地方没有文王武王之道。老师无所不学，又何必要有一定的老师传播呢？”

【原文】

叔孙武叔①语大夫于朝，曰：“子贡贤于仲尼。”子服景伯②以告子贡。子贡曰：“譬之宫墙③，赐之墙也及肩，窥见室家之好。夫子之墙数仞④，不得其门而入，不见宗庙之美、百官⑤之富。得其门者或寡矣。夫子之云，不亦宜乎！”

【注释】

①叔孙武叔：鲁国大夫，名州仇。②子服景伯：鲁国大夫。③宫墙：围墙，不是房屋的墙。④仞（rèn）：古时七尺为仞，一说八尺为仞，一说五尺六寸为仞。⑤官：这里指房舍。

【译文】

叔孙武叔在朝廷上对大夫们说："子贡比仲尼更加贤明。"子服景伯把这话告诉了子贡。子贡说："如果拿围墙打比方，我家的围墙只有齐肩那么高，可以从外面看到家中房舍的美。老师家的围墙有几仞高，如果你找不到门进去，自然看不见里面的富丽堂皇和房屋的绚丽多彩。但能找到门进去的人并不多。叔孙武叔那么讲，不也是自然的吗？"

【原文】

叔孙武叔毁仲尼。子贡曰："无以为也！仲尼不可毁也。他人之贤者，丘陵也，犹可逾也；仲尼，日月也，无得而逾焉。人虽欲自绝，其何伤于日月乎？多[①]见其不知量也！"

【注释】

①多：只是。

【译文】

叔孙武叔诽谤仲尼。子贡说："不要这样做！仲尼是毁谤不了的。别人的贤能就像丘陵，还能超越过去；但仲尼的贤德好比太阳和月亮，是无法超越的。就算有人要自绝于日月，又能损害日月什么呢？只能显示他不自量力罢了。"

【原文】

陈子禽谓子贡曰："子为恭也，仲尼岂贤于子乎？"子贡曰："君子一言以为知，一言以为不知，言不可不慎也。夫子之不可及也，犹天之不可阶而升也。夫子之得邦家者，所谓立之斯立，道之斯行，绥之斯来，动之斯和。其生也荣，其死也哀。如之何其可及也？"

【译文】

陈子禽对子贡说："你太谦恭了，仲尼怎么能比你更贤良呢？"子贡说："君子的一句话就可以体现他的智识，一句话也可以体现他的愚昧，所以说话不可以不慎重。夫子的高不可及，就像天是不可能顺着梯子爬上去的一样。如果夫子成为一个国家的诸侯或者采邑的卿大夫，就会像人们说的那样，他教百姓立于礼，百姓就会立于礼；他要引导百姓，百姓就会跟着走；他安抚百姓，百姓就会归顺；他动员百姓，百姓就会齐心协力。夫子活着十分荣耀，死了极其可惜。我怎么能比得上他呢？"

尧曰篇第二十

《尧曰》共三章，主要谈到尧禅让帝位给舜，舜禅让帝位给禹，即所谓"三代"的善政以及孔子关于治理国家事务的基本要求。

【原文】

尧曰[①]："咨[②]！尔舜！天之历数在尔躬。允[③]执其中。四海困穷，天禄永终。"舜亦以命禹。曰："予小子履[④]，敢用玄牡[⑤]，敢昭告于皇皇后帝：有罪不敢赦。帝臣不蔽，简[⑥]在帝心。朕[⑦]躬有罪，无以万方；万方有罪，罪在朕躬。"周有大赉[⑧]，善人是富。"虽有周亲[⑨]，不如仁人。百姓有过，在予一人。"谨权量[⑩]，审法度[⑪]，修废官，四方之政行焉。兴灭国，继绝世，举逸民，天下之民归心焉。所重：民、食、丧、祭。宽则得众，信则民任焉，敏则有功，公则说。

【注释】

①尧曰：下面引号内的话是尧在禅让帝位时对舜说的话。②咨：即“啧”，表示赞誉。③允：诚信。④履：这是商汤的名字。⑤玄：黑色。牡：公牛。⑥简：考察。⑦朕：我。从秦始皇起，才专用作帝王自称。⑧赉（lài）：赏赐。下面几句是说周武王。⑨周亲：至亲。⑩权：秤锤，指量轻重的标准。量：斗斛，指量容积的标准。⑪法度：指量长度的标准。

【译文】

尧说：“啧啧！你这位舜！上天安排的帝王大命就要落在你身上了。正直地维护那些中道吧！如果天下百姓都处于困苦和贫穷之中，上天赐给你的帝位也会永远终止。”舜也曾这样告诫过禹。商汤说：“我小心地用黑色的公牛来祭祀，向伟大的天帝祷告：我不敢擅自赦免有罪的人，我也不敢掩蔽天帝的臣仆，都由天帝的心来分辨和考察。我自己如果有罪，不要牵连天下万方；天下万方如果有罪，就让我一个人承担。”周朝大封诸侯，让善人都富贵起来。周武王说：“我虽然有至亲，不如有仁德的人。百姓有过错，都归于我一人。”认真检查度量衡等器具，周密地制定法律制度，全国的政令自然会通行。恢复被灭亡了的国家，继续已断绝的家族，提拔被遗忘的人才，天下百姓自然会真心顺服。需要重视的四件事是：人民、粮食、丧礼和祭祀。宽厚自然能得到众人的拥护，诚信自然能得到别人的任用，勤奋自然能取得成绩，公平自然会使百姓高兴。

【原文】

子张问于孔子曰：“何如斯可以从政矣？”子曰：“尊五美，屏四恶，斯可以从政矣。”子张曰：“何谓五美？”子曰：“君子惠而不费，劳而不怨，欲而不贪，泰而不骄，威而不猛。”子张曰：“何谓惠而不费？”子曰：“因民之所利而利之，斯不亦惠而不费乎！择可劳而劳之，又谁怨？欲仁而得仁，又焉贪？君子无众寡，无大小，无敢慢，斯不亦泰而不骄乎？君子正其衣冠，尊其瞻视，俨然人望而畏之，斯不亦威而不猛乎？”子张曰：“何谓四恶？”子曰：“不教而杀谓之虐；不戒视成谓之暴；慢令致期谓之贼；犹之与人也，出纳之吝谓之有司。”

【译文】

子张问孔子：“如何才能处理好政事呢？”孔子说：“尊重五种美德，排除四种恶政，就可以处理好政事了。”子张问：“哪五种美德？”孔子说：“君子要给百姓以恩惠而自己不浪费；让百姓劳作但不使他们怨恨；追求仁德而不贪图财利；安详坦然而不傲慢；威严而不凶狠。”子张说：“怎样做能给百姓以恩惠而自己却不浪费呢？”孔子说：“让百姓做对他们有利的事，就是对百姓有利而不用耗费他们自己的钱财！选择可以让百姓劳作的时间和事情让百姓去做，又有谁会怨恨呢？自己要追求仁德便得到了仁，还有什么可贪婪的呢？君子不分人多人少，事大事小，都不敢怠慢，这不就是安详坦然而不傲慢吗？君子端正衣冠、目不斜视，让人见了就生敬畏之心，这不就是威严而不凶猛吗？”子张问：“那什么是四种恶政呢？”孔子说：“没有经过教育，犯了错就杀戮，叫作虐；没有经过告诫，便要求成功，叫作暴；不去监督他，却要求限期完成，叫作贼；给人财物，却出手吝啬，叫作小气。”

【原文】

孔子曰：“不知命，无以为君子也。不知礼，无以立也。不知信，无以知人也。”

【译文】

孔子说：“不明白天命，就不能成为君子。不懂得礼仪，就不能安身立命。不善于分辨他人的话语，就不能真正了解他。”